ONDAS TROPICAIS

Claudia Assef e Alexandre de Melo

ONDAS TROPICAIS

Biografia da primeira DJ do Brasil: Sonia Abreu

Diretor editorial
Paulo Tadeu

Capa, projeto gráfico e diagramação
Allan Martini Colombo

Foto da capa
Arquivo revista Trip/Gabriel Rinaldi

Revisão
Silvia Parollo
Maria A. M. Lima

CIP-BRASIL - CATALOGAÇÃO NA PUBLICAÇÃO
SINDICATO NACIONAL DOS EDITORES DE LIVROS, RJ

Assef, Claudia
Ondas tropicais: Biografia da primeira DJ do Brasil: Sonia Abreu / ClaudiaAssef, Alexandre de Melo. - 1. ed. - São Paulo: Matrix, 2017.
il.

ISBN 978-85-8230-406-8

1. Abreu, Sonia, 1951-. 2. Músicos - Brasil - Biografia. 3. Música eletrônica.
I. Assef, Claudia. II. Melo, Alexandre de. III. Título.

17-42572

CDD: 927.8042
CDU: 929:78.067.26

SUMÁRIO

AGRADECIMENTOS

A Deus.

À minha mãe, que me deu o primeiro mixer.

Ao meu pai.

À dra. Isla Alves de Lima, minha médica – se não fosse por ela, eu já estaria morta.

À Claudia Assef e ao Alexandre de Melo, que escreveram minha biografia.

Ao dr. Roberio, que cuidou da minha mãe, à Esther Schattan, da Ornare, à Grace Lagoa e ao Paulo Maluhy.

Ao Andre Claret, meu hair stylist.

INTRODUÇÃO
A MÃE DA PORRA TODA

Por Claudia Assef

Ela estava lá, no nascimento da rádio FM no Brasil. Na sala de parto das discotecas, Sonia foi uma das parteiras. Sound system nem existia no Brasil, e ela fez a parada acontecer. Uma banda de world music com quase 30 integrantes? Sem problemas, bota na conta da Sonia.

Foram muitos os partos da Sonia, essa mulher que ao longo da vida, de tanto instinto materno que tinha dentro de si, foi mãe de muita gente, de muitos projetos, de muitos movimentos. Filho biológico não rolou, mas a quantidade de descendentes que ela gerou indiretamente foi muito grande.

Eu aqui, que de entrevistadora me tornei amiga e acabei me transformando em biógrafa, sou uma dessas tantas filhas. Sou grata pelos ensinamentos, por cada vidro que ela quebrou com as mãos desnudas para abrir caminho aos novatos. Sim, essa mulher já sangrou muito para que chegássemos até aqui.

Outra coisa que eu admiro muito é que ela é do tipo que pouco olha para trás. Não por falta de orgulho pelos seus feitos, ao contrário, ela sabe bem as linhas que escreveu na história. Mas, se quiser irritar a Sonia, peça a ela para tocar um *flashback* ou pra ficar falando de "como era bom no tempo do vinil". Nada disso. Ela tem horror ao passado. Soube disso quando, ainda sem conhecê-la a fundo, fiz um convite para que ela tocasse numa festa Discology, focada justamente em músicas dos anos 70 e 80, que eu fazia no começo dos anos 2000 no Vegas Club. "Ai, Claudia, vai desculpar, mas é que eu detesto tocar disco music", me disse na época. Não sei como, mas a convenci, e o *set* foi um dos melhores dos 15 anos da noite.

Sonia quer saber de novidade, da melhor música da semana, da moda que ainda não conhece, gosta de se chocar com os novos modismos da *night*, ri nervosamente quando vê a DJ jovenzinha exibindo o seio meio à mostra. É na bagunça de hoje que ela se sente à vontade. "Ai, não aguento velharia", Sonia diz antes de cair na gargalhada.

Residente na Casa 92, casa noturna em Pinheiros, zona oeste de São Paulo, que reúne um público com idade entre 18 e 30 anos, a DJ traz sempre uma surpresa na manga. Além do repertório atual que agrada em cheio à molecada, é impressionante ver a energia que ela consegue transmitir e a sintonia que mantém com a pista.

"Lá eu renovo a minha vida. É o que me revitaliza, me faz sentir viva. É a minha fonte da juventude. A garotada não espera que uma coroa toque esse tipo de som. Eu fui corajosa do meu jeito. Lá eu toco músicas que a meninada gosta. Tem sempre uns três ou quatro que chegam pra mim e dizem: 'Eu venho aqui só pra te ver'. Aos 65 anos, eu fico boba de ainda ter fãs", diz.

"Sonia Abreu é linda, tem energia única. Ela traz alegria pra Casa 92. Bota a música e levanta os braços pra dar alegria de presente às pessoas.

Amo cada minuto dela tocando", diz Fernando Sommer, sócio do clube.

Sonia acorda muito cedo, às 4h30. Arruma a cama, come uma bolacha de arroz com tahine, e às 5h20 se manda para a academia, que abre um pouco mais cedo para receber a DJ. O bom hábito de organização e limpeza segue intacto, assim como a alimentação macrobiótica. "Sou fiscal da academia. Vejo tudo que está errado e conto pro dono", diverte-se Sonia.

Por ser uma pessoa espiritualizada, a ideia da morte não lhe mete medo. Ao contrário. "Eu mergulhei nessa noia de pensar 'meu Deus, não tenho ninguém nem pra empurrar minha cadeira de rodas'. Eu estava com o joelho inchado e fui fazer um casamento, fiquei 12 horas de pé em Ibiúna. Cheguei às 7 horas da manhã em casa e fui ao médico. Eu vi aquela velharada Prevent Senior passando mal e me deu deprê. Vou ligar pra quem? Vou encher o saco de quem? Aí nem ligo pra ninguém", conta Sonia, a Miss Independência.

E o legado que fica, como é? "Olhando para trás, hoje eu sinto muito orgulho. Chego até a chorar de emoção. É muita coisa, a gente não se dá conta quando vai fazendo. Aí, sim, eu posso falar: 'Tô orgulhosa de mim'. Porque foi muito difícil, né?"

CAPÍTULO 1
O SOM DO DISCO VOADOR

Com Arnaldo e Lucinha

"Música. Multidão. Rádio ambulante. Leve. Rádio Ambulante. Multidão. Música. Rádio Ambulante. Rádio Ambulante. Música. Leve.

Meu, juro. Eu estava ouvindo uma voz nítida repetindo isso. Essa voz em looping vinha do horizonte, de uma luz azul que brilhava no céu daquela bendita tarde cinza. Eu não entendi naquele momento, mas hoje eu sei que estava recebendo orientações de um disco voador.

Captei esse aviso enquanto ouvia "Dois Mil e Um", dos Mutantes, que tocava no toca-fitas do rádio da minha Brasilia. No dia 7 de julho de 1981, eu e a minha guru Lucinha saímos para dar um rolê no Morumbi. A ideia era depois passar na casa do Arnaldo Baptista. O gênio Loki dos Mutantes era nosso amigo, e a gente iria lá pra comemorar o seu aniversário. Preparamos uma seleção de músicas dos Mutantes em fita para dar de presente, porque ele sempre perdia os próprios registros de suas gravações. A Lucinha sempre foi apaixonada pelo Arnaldo e já tinha esse tipo de cuidado antes mesmo de se tornar sua mulher. Antes de sair, fumamos um. De praxe, pra dar vibe.

De repente, no caminho, aquela Brasilia branca parecia flutuar em direção às estrelas e não mais para o Morumbi. O som da fita cassete estava no talo:

♪♩ Astronauta libertado
Minha vida me ultrapassa
Em qualquer rota que eu faça
Dei um grito no escuro
Sou parceiro do futuro
Na reluzente galáxia ♪♩

Dali a pouco o som já não era tão alto. A luz azul no céu se destacava, e eu ouvia nitidamente: "Música. Multidão. Rádio ambulante. Leve. Rádio Ambulante. Multidão. Música. Rádio Ambulante. Rádio Ambulante. Música. Leve". Paramos o carro para observar. Olha, fumar abre a percepção, mas só isso não faria eu e a Lucinha enxergarmos aquele disco voador.

O que aconteceu ao certo, eu não sei até hoje. Mas pra gente se virar na vida precisa estar atenta aos sinais, né?

Música. Multidão. Rádio ambulante. Leve.

A informação sobre os ETs bateu forte e talvez tenha sido o empurrão definitivo para que Sonia Abreu se transformasse no meio condutor para que a música, nas suas mais diversas formas e gêneros, chegasse aos ouvidos de multidões. De Fusca. De Kombi. De barco. A pé. Na intuição do disco voador.

Antes do inusitado contato imediato de terceiro grau, porém, Sonia já estava encaminhada na missão de levar ondas sonoras aos terráqueos – mais especificamente aos que escolheram o Brasil como morada.

Primeira DJ do Brasil, Sonia estreou numa cabine aos 16 anos de idade, em 1967, tocando na casa do empresário e político Antônio Ermírio de Moraes, que àquela altura do campeonato, aos 37 anos, já estava à frente do Grupo Votorantim. A festa era para o filho, José, com idade que regulava com a da Sonia. O repertório da mocinha para a ocasião tinha alguns dos pioneiros do rock 'n' roll: Chuck Berry, Beatles, Joe Jeffrey, The Hollies, além da onda musical que acabara de chegar no pedaço, a Jovem Guarda.

Quando teve a visão do disco voador, Sonia já havia acumulado muitos feitos, do alto de suas 29 primaveras: aos 13 anos, colocou voz em um dos primeiros covers de música pop estrangeira no Brasil. Aos 17, já fazia a programação da rádio Excelsior e pouco depois passou a produzir a épica coleção de discos *Viaje com a Excelsior, Máquina do Som* pela Som Livre. Aos 26 anos, lançou artistas que marcariam a música pop, tocando na discoteca Papagaio Disco Club, em São Paulo. Com uma dançarina e um robô cenográfico, ela foi pioneira também no quesito intervenções performáticas ao promover a música "Automatic Lover", da inglesa Dee

D. Jackson, que estourou no Brasil (com direito a turnês por estádios de futebol) graças ao faro de Sonia.

Porém, quando teve a visão do disco voador, Sonia vivia uma fase de transformação por causa de um somatório de fatores. "Eu estava fazendo a cabeça, me transformando numa outra mulher, uma mulher muito melhor", lembra. Além da forte amizade com Lucinha, algumas novidades, como o LSD e a maconha, chegaram para colorir essa nova versão de Sonia.

Quando o barco da rádio Ondas Tropicais de Sonia estava sem rumo, sempre apareciam os mais loucos *insights*, soprados por divindades raramente feitas de carne e osso. Essas "visões" sempre a levaram a criar. E foi assim, na intuição e aberta à espiritualidade (mesmo sem

seguir nenhuma religião), que ela se tornou um nome fundamental no desenvolvimento da música no Brasil.

Durante sua trajetória, a DJ teve três visões que foram determinantes. Antes de entrar nos pormenores do que rolou no aniversário do Arnaldo Baptista, para onde ela e a Lucinha rumavam depois que viram os ETs, vamos dar um passeio pela copa da árvore genealógica de Sonia e contar sobre sua primeira visão.

Com Regina Shakti no estádio do Morumbi vestida de robô

CAPÍTULO 2
LACINHO NO CABELO E CHOPIN NA CACHOLA

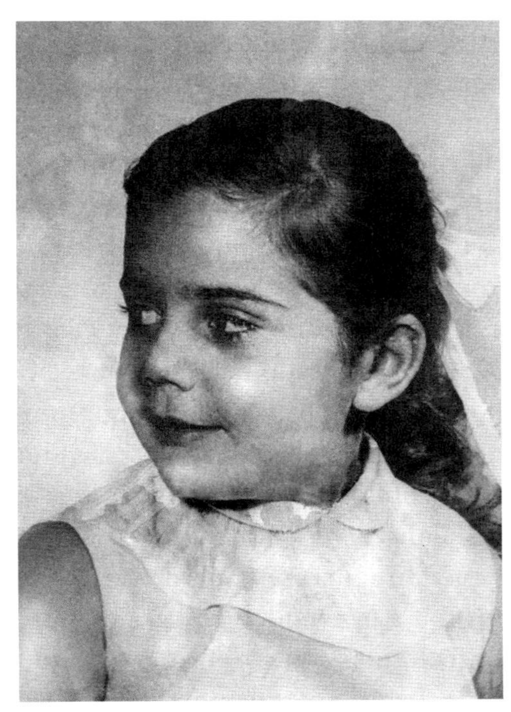

Foto de infância

Sonia Maria Saraiva Santos Abreu ou Soniábrêu – como ela assinou seu nome nos anos 1990 depois de se consultar com uma numeróloga – nasceu em 23 de dezembro de 1951, filha única da dona de casa Aduzinda Saraiva e do médico-cirurgião José Eurico Santos Abreu Jr., que todos chamavam de dr. Abreu.

O estilo e o temperamento herdados dos pais foram determinantes na formação do caráter e até nas idiossincrasias de Sonia – até hoje ela morre de medo de hospital pela lembrança de ter acompanhado seu pai em plantões e cirurgias. Talvez a gente não se dê conta, mas muitas de nossas manias vêm dos nossos pais. Sonia tem uma mania engraçada: macrobiótica desde os 27 anos, ela sabe se está para ficar doente pela facilidade de se limpar depois de fazer o número 2 no banheiro. Seu faro médico, treinado pelo pai na infância, diz que uma pessoa saudável tem que fazer um cocô quase autolimpante. "Tem que sair igual cachorro, sem limpar, no formato de um guarda-chuva", ensina Sonia. Eu sei que parece meio escatológico, mas isso diz muito sobre a Sonia. Não importa se ela conhece você há cinco minutos ou 50 anos, esse assunto é recorrente e flui de forma divertida.

No início dos anos 1950, o mundo era outro. O Brasil ainda não tinha ganhado a Copa do Mundo, Getúlio Vargas assumia seu segundo mandato como presidente do Brasil, dessa vez eleito por voto direto, o rock ainda não tinha se alastrado pelo planeta e a população de São Paulo ia se moldando aos novos hábitos dos imigrantes (principalmente os italianos) recém-fugidos da Segunda Guerra Mundial.

Verdade seja dita. Sonia cresceu em berço esplêndido, em pleno coração do Jardim Paulista, na pacata Rua Antônio Bento, a alguns quarteirões do Parque Ibirapuera. Depois de várias mudanças ao longo da vida, Sonia retornou a esse endereço para cumprir seu derradeiro papel de filha única. Durante 20 anos, entre 1987 e 2007, ela se dedicou a cuidar da mãe, que, debilitada por uma doença crônica, passou os últimos anos da vida totalmente dependente da filha.

O sobrado com quintal na Rua Antônio Bento foi palco de muitas epifanias da menina Sonia, que nasceu não muito longe dali, no Hospital Santa Cruz, na Vila Mariana.

Seu pai, dr. Abreu, era um médico boêmio. Ele tinha algumas manias, como criar passarinhos e colecionar carros, apesar de não ligar pra dinheiro. Gostava de sair para beber com os amigos músicos e, na sua rotina de trabalho, no Hospital do Mandaqui, atendia tanto gente pobre como milionários. O radialista Zé Béttio e o cantor Lindomar Castilho foram alguns de seus pacientes ilustres.

O pai, dr. José Eurico Santos Abreu Jr., e a mãe, Aduzinda Saraiva, no casamento, em 27 de março de 1951

A mãe, lembra Sonia, fazia o tipo general, metódica. A DJ acredita ter herdado dela a postura elegante, a firmeza e a mania de ser organizada. Dona Aduzinda era o tipo de mulher classuda, mas que escondia uma vida um tanto solitária, apesar de ter feito brilhar os olhos de muitos amigos da filha. "Ela era uma mulher fascinante, inteligente. Eu tinha loucura pela mãe da Sonia, fiquei muito amigo dela. Aduzinda me dava livros de presente para eu ler. Eu ia visitá-la, adorava conversar com ela", diz o advogado Fred Maluhy, amigo de Sonia dos tempos de bagunça na boate Mirage – primeiro emprego noturno da DJ, que ainda era menor de idade.

Desde muito cedo, Sonia sentia no ar que o casamento entre o cirurgião boêmio e a dona de casa elegante não iria muito longe. A mãe ditava regras, e o pai não se sentia à vontade em casa.

"Eu gostava da minha mãe, mas ela batia em mim, era muito rígida. Muito exigente, a casa sempre tinha que estar impecável. Graças a Deus, acho que peguei isso dela, essa organização. Como meu pai usava brilhantina no cabelo, não podia encostar a cabeça na cadeira pra não manchar. Ele ficava puto da vida. Os dois não se bicavam desde que eu era criança. Ele era boêmio. Não entendia muito bem os motivos, eu era muito careta e não enxergava as coisas. Só me libertei quando fumei um com a Lucinha", diz Sonia. Mas o papo agora é sobre a primeira epifania musical da Sonia, sua primeira visão.

Ela tinha uns 4 anos, mas se lembra como se fosse hoje e descreve a cena com a riqueza de detalhes de quem está olhando para um *storyboard*. "Eu estava usando um vestidinho rodado, laço de fita no cabelo, toda arrumadinha. Meu pai chegou do trabalho e, como sempre fazia, colocou um disco na vitrola. Era Chopin. A música era *Polonaise en La Bemol*. Eu estava do lado de fora da casa, no balanço, quando ouvi aquela música. Ela me atravessou como se fosse um raio. Eu balançava, e a música entrava cada vez mais na minha alma, alcançava a minha essência e me guiava para uma sensação sublime que consigo sentir até hoje. O poder da música me acertou em cheio naquele momento, e eu sabia que seria pra sempre", relata a garota de família abastada que, pouco mais de uma década depois, se tornaria a primeira DJ do Brasil.

Foi na família que ela encontrou a primeira saída para a solidão que sentia por ser filha única. Por parte de pai, havia um batalhão de parentes. Os avós Annunciata Lucchesi Santos Abreu e José Eurico Santos Abreu tiveram oito filhos. A casa da avó, na Vila Mariana, era uma festa. Tinha um quintal enorme, árvores, horta, uma verdadeira floresta. Sonia era uma menina moleca, lembra o primo Marcos Santos Abreu, engenheiro civil e corretor de imóveis de 60 anos, o terceiro de quatro irmãos. É ele quem passa a ficha corrida da família Santos Abreu.

Dr. Abreu, pai de Sonia, do jeito que mais gostava de ficar

Sonia com a família em sua primeira comunhão

"A Sonia era uma das minhas primas mais ativas. Inovadora, moderna e musical, alguém de quem tenho muito orgulho. Naquela época, o centro do mundo era a casa de nossa avó. Ela teve cerca de 25 netos, predominantemente meninas, e com idades próximas. A reunião dos primos era uma festa tresloucada, e todos moravam perto da minha avó, na parte da Vila Mariana que hoje se conhece por Vila Clementino", conta Marcos. "O Chico Lucchesi, como era chamado nosso bisavô, chegou da Itália por volta de 1890, antes da imigração, vindo de um país já assolado por forte recessão. Ele veio em busca de novas oportunidades. Primeiro ele foi para Nova York, mas, com a chegada do inverno, se mandou para o Brasil, de clima mais quente. Já por aqui, subindo a serra de Santos, logo se fixou na região de São Bernardo da Borda do Campo, num local onde hoje é o Centro da Comarca de Santo André, e lá construiu um armazém de secos e molhados. Nesse local, em meados dos anos 1950, foi construído o Edifício Lucchesi – até hoje lá vivem alguns de seus descendentes. Chico migrou para Minas Gerais, onde se casou com Maria Amélia Vieira Telles, filha de portugueses, com quem teve 13 filhos, entre eles a Annunciata, nossa avó, que viveu até os 102 anos", detalha.

Marcos conta que o pai de Sonia ocupava cargos importantes, porém era um homem de hábitos muito simples. "O dr. Abreu tinha uma preocupação muito grande com a população carente. Foi titular da Faculdade de Higiene e Saúde da Universidade de São Paulo, além de secretário de Higiene e Saúde do Município", relembra.

Assim como a mãe, Sonia tinha mania de limpeza desde muito cedo.

"Aos 8 anos, ela já encerava a casa e passava escovão no assoalho lindo de madeira do palacete da Rua Machado Bittencourt. E ai daquele que ousasse entrar na casa na hora da limpeza. Sonia fechava todas as portas, espalhava jornal no chão para ninguém estragar o brilho que tinha conseguido no escovão", relembra Silvana Abreu, prima e parceira de aventuras juvenis.

O gosto pela música era genuíno e natural na família. "Além do piano, Annunciata dava uma bela arranhada no cavaquinho e no bandolim. Vários filhos e sobrinhos de nossa avó tocavam piano, violão e outros instrumentos", descreve Marcos.

Sonia aprontava tanto que deixava os meninos da família no chinelo. "Andava de carroça com o verdureiro, jogava taco na rua, subia em muro, me ralava toda", ela recorda. Mesmo um pouco mais velha, o espírito arruaceiro se manteve intacto: "Cheguei a comprar um buggy no final dos anos 70 e saía com os primos pra fumar maconha na pracinha em frente ao Parque Ibirapuera".

Mas claro que dona Aduzinda queria um futuro próspero para a filha, por isso a matriculou em alguns dos colégios mais caros da cidade. Sonia frequentou o jardim da infância no Mundo Infantil, na Rua Veneza, fez o primário no Colégio Pio XII, no Morumbi, depois foi para o Assunção, escola de freiras na Alameda Lorena com a Rua Pamplona, onde cursou o quinto ano. Em seguida foi para o Meira, na Rua Padre João Manoel, e, finalmente, para o Nossa Senhora do Brasil, na Avenida Brasil, todos eles nas zonas sul e oeste de São Paulo.

"Minha mãe pegava no meu pé para que eu estudasse, mas, como eu aprontava muito, ela foi me mudando de escola. No Meira eu botei fogo na lata de lixo. A professora ficou desesperada, saiu correndo com a lata em chamas. No Pio XII, de zoeira, eu arrancava as calças dos meninos. Eu era louca, bicho. Comecei nos melhores colégios e fui decaindo, até que terminei no Nossa Senhora do Brasil. Mesmo assim, fui expulsa por uma bobeira. Em um movimento de chute, eu joguei sem querer um sapato do Spinelli – que estava na moda – na professora, e a coitada estava grávida. Era pra fazer graça, não era pra chatear nem machucar ninguém. Poxa, eu realmente dei trabalho. Minha mãe queria que eu tivesse uma formação a qualquer custo e forçou a barra para que eu fizesse faculdade. Até comecei a estudar Jornalismo, mas eu queria mesmo era trabalhar o mais cedo possível com alguma coisa relacionada à música", Sonia conta. O raciocínio era: com grana no bolso, a independência chegaria mais rápido.

Esse pensamento pragmático a levou a buscar o primeiro emprego aos 15 anos de idade como vendedora na rede de lojas de discos e equipamentos Áudio, onde toda a granfinagem de São Paulo comprava seus vinis importados e equipamentos de som.

Filha de pais separados – coisa estranha para a época –, Sonia sentia que a família toda, com exceção de alguns primos, não aprovava seu *lifestyle*, sempre enfiada com os meninos e agora trabalhando em loja de discos.

De mãos dadas com a música, Sonia levou seu espírito desbravador muito bem, acompanhada de um *sound system* por terra, água e ar. Literalmente. De coreto improvisado na laje de um comércio na Rua Augusta até as límpidas águas do Atlântico, sem falar nos quilômetros rodados sobre veículos transformados em palco ambulante, Sonia fez o caminho que poucos DJs fizeram. *Todo artista tem que ir aonde o povo está*, diz a canção. E assim ela fez.

Sonia com sua mãe, de quem herdou a elegância e organização

CAPÍTULO 3
MIL FEELINGS

Sonia com o amigo de infância Hélio Costa Manso, com quem teve a banda Happiness nos anos 1960

O complexo de vira-lata do brasileiro, expressão criada pelo dramaturgo Nelson Rodrigues, tem origem no futebol, após a derrota sofrida pela Seleção Canarinho na final da Copa do Mundo de 1950, em pleno Maracanã, pelo time do Uruguai. O termo serve para expressar a inferioridade em que o brasileiro muitas vezes se coloca quando confronta o resto do mundo. Em se tratando de cultura, mais especificamente de música, o complexo de vira-lata foi potencializado pelo *gap* que sempre sofríamos em relação ao que estava acontecendo no resto do mundo.

Nos anos 1960 e 1970, as gravadoras nacionais lançavam músicas estrangeiras com um atraso gigantesco, isso quando lançavam. Nessa época, restava à moçada ir às lojas de discos procurar os hits que tocavam nas rádios, caçar os poucos vinis disponíveis nas prateleiras ou em fitas pirateadas vendidas por esses comércios.

Na infância e na adolescência, Sonia frequentou a Eletroarte*, uma das primeiras lojas de discos a se instalarem no bairro dos Jardins, em São Paulo. Além de receber visitas frequentes do grupo de meninas liderado por Sonia, a loja do senhor Toninho Paladino também era *point* dos garotos da turma de Hélio Costa Manso.

Sonia e Hélio se conheceram em 1962. Ele morava na Rua General Mena Barreto, a um quarteirão da Rua Antônio Bento, onde Sonia vivia com os pais. A geolocalização facilitou a amizade e deu margem também à paixão que Sonia nutria pelo rapaz, que sempre andava arrumado ostentando o brasão da família. A turma da Sonia e os amigos de Hélio se reuniam para ouvir música e juntos tiveram as primeiras experiências com aquele tal de rock 'n' roll que estava chegando com os Beatles, The Beach Boys e a Jovem Guarda.

"Foi na garagem da casa da Sonia que a minha banda, The Mustangs, tocou pela primeira vez, num aniversário dela", lembra Hélio. Seu Paladino

*Uma das primeiras lojas de discos dos Jardins ficava na Rua Augusta, em São Paulo. Foi o point da garotada que curtia música nos anos 1960, antes do surgimento do hi-fi.

soube que Hélio tinha uma banda de covers dos sucessos das rádios cantados em inglês e logo vislumbrou uma oportunidade comercial. The Mustangs era formado por Paulo Afonso Lelo Sampaio (baixo), Carlos Gama e Filho (guitarra), Luiz Marcelo Cajiano (guitarra), João Cunha Neto (bateria) e Hélio, que, além de cantar, tocava teclado.

"Naquela época faziam sucesso as músicas "See You In September", do grupo The Happenings, e "Sunny", que originalmente era de Bobby Hebb. Nós tocamos essas músicas num festival do Colégio São Luís. Paladino gostou dos nossos covers e entrou em contato com a RCA Victor", relembra Hélio.

As lojas de grande movimento tinham contato direto com as gravadoras e podiam indicar novos talentos para seus *castings*. Como já era de praxe no Brasil, as bandas que cantavam em inglês ganhavam nomes gringos "coincidentemente" parecidos com nomes de artistas internacionais de sucesso. Foi assim que a banda The Mustangs acabou lançando um disco sob o codinome Happiness.

"Lá fomos nós gravar com o nome Happiness, pra soar parecido com o grupo da moda, que era o Happenings, sem produtor nem nada. E, acredite, vendia-se muito bem dessa forma", conta Hélio. No meio dos meninos, lá estava a Sonia fazendo vocal.

As bandas da época, como The Happenings e The Four Seasons, faziam vocalização dobrada. Três ou quatro vozes faziam a harmonia, enquanto uma voz fazia falsete bem agudo. Na gravação do cover de "See You In September", Hélio chamou a Sonia para fazer uma simulação da voz falsete masculina.

A banda ficou satisfeita ao final dos trabalhos e achou que estava bem parecida com a música original. Hoje eles percebem que não era bem assim. "Era pobrinho porque não tinha orquestra. Eram só baixo, guitarra e bateria. Mas ficou agradável", avalia a vocalista.

O grupo não viajou muito para divulgar os covers por duas questões: a distribuição da gravadora deixou a desejar e, mais importante, o que fazia sucesso eram os pseudônimos em inglês. Se eles se apresentassem com os nomes brasileiros (Sonia, Hélio, Carlos, João...), não haveria apelo nenhum. O povo queria mesmo era ver artista estrangeiro.

"Certa vez, na Eletroarte estava tocando "See You In September", e uma amiga que lá estava disse, empolgada: 'Olha, é o Helinho e a Sonia cantando'. O seu Paladino deu uma bronca em mim e na Sonia e pediu para que nossos amigos não espalhassem que éramos nós que cantávamos a música. Todo mundo tinha que achar que eram artistas internacionais no disco", Hélio se diverte lembrando.

Depois da gravação, a banda voltou com o nome The Mustangs e tocou em muitas festas de debutantes e clubes chiques da cidade, como o Paulistano. Depois de mudar o nome para Sunday, o grupo conseguiu emplacar a música "I'm Gonna Get Married" na trilha da novela *Super Plá*, que foi ao ar pela TV Tupi em 1969 e 1970, com Marília Pêra e Irene Ravache no elenco.

Mirando uma carreira solo de sucesso, Hélio sucumbiu às regras do mercado e passou a usar um pseudônimo gringo. Com o nome Steve Maclean ele estourou nas paradas com "True Love", tema da novela global *O Grito* (1975), emplacando mais um sucesso em seguida, "Sweet Sounds Oh Beautiful Music", da novela *Locomotivas* (1977). Steve Maclean não estava sozinho na tarefa de cantar em inglês. Até Sonia chegou a ser mordida pela moda do codinome gringo e lançou o single *Funny Funny*, cover da banda Sweet, usando o nome "ininglish" The Sweet Set, com a futura disc-jóquei cantando a voz principal e outras vocalizações.

Além deles, outros artistas seguiam a mesma fórmula. Talvez você não conheça Mark Davis, nome escolhido por Fabio Jr. para lançar seus sucessos se passando por gringo. Com o nome americanizado, Fabio estourou em vendas cantando "Don't Let Me Cry", incluída na trilha sonora da novela *A Barba Azul* (1974), da Tupi.

O goiano José Pereira da Silva Neto é conhecido até hoje como Chrystian, da dupla sertaneja Chrystian & Ralf. Nos anos 1970, ele não podia aparecer na televisão nem na capa do seu próprio disco para que não descobrissem que se tratava de um cantor brasileiro. Sua música "Please Don't Say Goodbye" foi tema de Tarcísio Meira e Glória Menezes na novela global *Cavalo de Aço* (1973) e ficou 19 semanas em primeiro lugar nas paradas.

Quem viveu o finalzinho dos anos 1970 vai se lembrar de Dudu França e seu superhit "Grilo na Cuca". Pois é. Ele já havia experimentado o sabor do sucesso com sua banda Colt 45 cantando músicas em inglês, e eram apresentados como os novos amigos do Roberto Carlos. Na formação, além de Dudu, outro nome importante para o desenvolvimento do rock pop dos anos 1980 fazia parte da banda: Marcos Maynard. Anos mais tarde Maynard lançou artistas, como RPM, Rádio Táxi e Metrô, à frente da direção das gravadoras CBS, Sony e Polygram.

Last but not least, tem o caso mais bombástico de todos: a história do cantor Maurício Alberto Kaisermann, que vendeu mais de 160 milhões de cópias em cerca de 50 países ao redor do mundo. Você não deve conhecê-lo pelo nome de batismo, já que foi como Morris Albert, com a música "Feelings", um dos maiores hits românticos de todos os tempos, que Maurício venceu na vida. Acusada de plágio pelo francês Loulou Gasté, que levou a melhor na justiça e faturou US$ 500 mil em direitos autorais nos anos 1980, "Feelings" foi regravada por Nina Simone, Caetano Veloso, Frank Sinatra, The Offspring, Ella Fitzgerald, MC Hammer, e entrou até na trilha da animação *Shrek*.

Vira-latas, sim, mas com o bolso cheio de dólares.

CAPÍTULO 4
DA HIGH SOCIETY AO MOTEL

Sonia versão cachos nos anos 1980

Além de uma bagagem musical de dar inveja, DJs também colecionam boas histórias. Afinal, esses profissionais trabalham enquanto as pessoas se divertem, relaxam, bebem, dançam, soltam a franga. Imagine alguém com 50 anos de estrada na cabine de som!

Sonia começou a tocar profissionalmente como DJ em festas particulares da *high society*, em São Paulo. Seu primeiro emprego foi na badalada Áudio, que abriu as portas para que ela começasse a discotecar nessas festas. Na loja, além de vender aparelhos de som, a garota era responsável por selecionar e gravar em K-7 os grandes hits das paradas dos Estados Unidos que eram citados nas revistas *Billboard* e *Cash Box*. Depois, essas fitinhas (eram copiadas entre 2 mil e 5 mil unidades), com repertório escolhido por Sonia, eram distribuídas em todo o Brasil pela Áudio. Graças ao sucesso de venda dos K-7, a loja montou um tipo de agência de festas.

A chave musical virou definitivamente para Sonia quando os donos da loja, Toni Arruda Botelho e Eduardo Machado Pereira Leite, apresentaram aos seus clientes mais finos a funcionária que detinha um conhecimento musical fora dos padrões. A garota agarrou a oportunidade e usou a bagagem musical conquistada precocemente para se jogar na discotecagem.

O trabalho na loja de discos deu ainda mais tarimba para Sonia, que começou a construir as bases de uma sólida carreira sonorizando aniversários, bailes de debutantes, casamentos e outros *get togethers* de ricos, talvez seu ofício mais rentável ao longo da carreira.

Mas ainda faltava encarar o comando de uma pista de dança de verdade, numa boate, sem a proteção de estar tocando em casas de gente fina e elegante. Uma excursão à Europa resolveria essa pendência. Foi nessa viagem que Sonia conheceu Eduardo Francis e Vitório, donos da boate Mirage, que ficava na Alameda Santos, quase esquina com a Rua Augusta. Eles ficaram encantados com o conhecimento musical da menina e com suas fitas de sucessos gringos. A dupla, então, a convidou para discotecar no Mirage. Aos 17 anos, lá estava Sonia estreando numa cabine de casa noturna, colocando a pista do Mirage pra ferver.

Sonia orgulha-se de dizer que nunca se intimidou por ser mulher, mesmo com o olhar desconfiado de algumas pessoas quando miravam a garota bonita, estilosa e que impunha respeito pela atitude firme. Já de início Sonia tocava no horário nobre, enquanto o residente da casa, o DJ Ubaldo, abria e fechava os trabalhos.

Na noite de estreia, a loira fez a cabeça dos dançarinos tocando sons como o swing da banda sul-africana The Square Set. O hit "That's What I Want" não deixava ninguém parado. Que solo de órgão!

♪♩All I want is you
Give me all your kisses
Every night and day
Let me be your lover man
Let me hear you say
That's what I want ♪♩

O advogado Fred Maluhy acompanhou Sonia na excursão à Europa em que ela conheceu os donos do Mirage, e batia ponto na boate toda vez que a amiga ia tocar. "Ela era pioneira, era o xodó da turma. Muito novinha, ela já ficava no meio de um monte de maluco, o povo bebendo direto no gargalo", lembra. "Todo mundo esperava a Sonia tocar. Se ela faltasse, tivesse uma gripe, a pista ficava um lixo", conta Maluhy.

Sonia relembra os detalhes que tornavam a boate um lugar especial. "O DJ ficava sempre escondido. Na toca. Aí a boate Mirage criou uma cabine de vidro pequena, bem no meio da pista. O DJ Ubaldo, que também trabalhava como pedreiro, foi quem construiu essa cabine especial. Meu, aquilo foi um sucesso total, e a gente (os DJs) adorava aquele calor da galera. Todo mundo com as mãos para o alto, cantando e dançando junto. Eu adorava aquele lugar", diz.

O preço do pioneirismo era recorrer a gambiarras criativas para fazer a festa rolar. "Eu tocava com dois gravadores de rolo 4000 DS da Akai, às vezes até com três. Não era moleza. O DJ passava gilete e acetona para colar uma música na outra. Criamos uma caixinha com potenciômetro que funcionava como mixer, mas ele não misturava as músicas. Ele passava de uma para a outra no chicote, entendeu? Está pensando que ser DJ era fácil? O que não existia a gente inventava", diz Sonia.

O Mirage ficava no segundo andar de um sobrado, em cima de um comércio. Logo na entrada havia poltronas de dois lugares em cada lado e uma mesa no meio. "O pessoal dançava em cima das poltronas e das mesas. Todo mundo tomava muito uísque nacional, acho que era Old Eight. A boate era agitadíssima, praticamente um clube social, e a turma ia todo dia. De vez em quando íamos às outras boates, como Tonton Macoute, na Nestor Pestana, Moustache, na Rua Sergipe, Cave, na Consolação com Nestor Pestana. Nas outras tinha muita briga e não havia o capricho musical e a animação que a Sonia colocava no Mirage", explica Fred Maluhy.

No fim dos anos 1960, entre os poucos lugares para se dançar à noite ao som de DJs em São Paulo, o Mirage era o mais *underground*. "Lá a gente aprontava coisas totalmente absurdas", diz Maluhy. Eu inventei um lance de me jogar pela janela do Mirage. Isso mesmo! Eu conhecia bem o prédio e sabia que havia um parapeito na janela em que dava pra me segurar. Quando todo mundo já estava bem pra lá de Bagdá, eu corria pela pista e me jogava pela janela, gritando. Claro que eu não caía na calçada da Alameda Santos porque sabia o truque. Mas muitos, mas muitos mesmo vinham na minha cola e se esborrachavam no toldo do Mirage. A gente era muito doido!", relembra o amigo. Ele lembra que lá não havia seguranças: "Era um porteiro só, e ele era mais louco que a gente".

Boa parte da turma da contracultura que coloria as noites do Mirage era egressa de outro *point* totalmente vanguardista de São Paulo: o Eddi

Sebastian Bar, que ficava no final da Rua Augusta, perto de onde hoje resiste outro ícone da boemia paulistana, o Bar Estadão. "Foi o lugar mais louco de São Paulo, mas numa escala menor. Depois que o Eddi fechou, foi todo mundo pro Mirage", diz o advogado.

Drogas, claro que tinha. "Cocaína era o que mais rolava na noite. Maconha era pra outros momentos. Também aparecia LSD. Mas no Mirage não era muita gente que cheirava. E mesmo os mais loucos eram divertidos. Ninguém quebrava nada, mas tinha os malucos, né? Um ou outro até injetava alguma coisa. A droga era uma coisa social. Ninguém passava muito da conta. Quem gostava usava e não se falava muito no assunto", conta Maluhy. "Ninguém entrava muito são e ninguém saía são. Bebia-se muito uísque. No sábado, durante o dia, ia todo mundo tomar batida e cerveja no Rei das Batidas, em Moema. Depois, à noite, iam para o Mirage."

As boates de São Paulo deram um prenúncio do efeito avassalador das discotecas, que chegariam em meados dos anos 1970 para enlouquecer os dançarinos, já que o foco se voltaria totalmente para a pista de dança e para o DJ. E, em muitos desses casos, para a DJ Sonia Abreu.

Em meio a esse frenesi, Sonia permanecia focada na música. Nunca curtiu bebida, e a cocaína, a droga da moda, nunca fez sua cabeça. "Eu era careta. Hoje até bebo umas champas, mas de leve", diz.

No auge da onda hippie, o amor livre rolava ao som dos discotecários. A música e o clima da boate ajudavam na aproximação dos casais, que procuravam cantos escuros para os amassos. Os mais ousados partiam para os finalmentes nos banheiros das casas noturnas. "As meninas começaram a querer transar também, né? Eu mesmo indiquei ginecologistas para várias amigas, pois isso não era um assunto que se discutia com as famílias", relembra Fred Maluhy.

Outro lugar que fazia a cabeça de quem buscasse bagunça e boa música – e que virou ícone dos boêmios de São Paulo no final dos anos 1960 e começo dos anos 1970 – foi o Cave.

No início, a boate, comandada pelo empresário Jordão de Magalhães, tinha o intuito de ser clube exclusivo para as festas dos playboys da época, e não faltavam excentricidades. "Eles traziam camelo pra noite árabe, acredita? No final dos anos 1960, todo mundo ia ao Cave pra comer e tomar uma saideira. A festa junina do Cave era fantástica. As 'primas' se vestiam de homem, e as bichas, de mulher", conta o boêmio Maluhy.

Ainda nesse comecinho, o lugar ficou famoso por reunir a nata da sociedade paulistana, atraída por shows de artistas como João Gilberto e Johnny Alf. Após os shows, a casa assumia uma atmosfera diferente e se transformava numa espécie de *after hours*. Reunia de prostitutas – que ali iam somente para se divertir após encerrar o expediente – a intelectuais em busca de um ambiente artístico e libertário, embalados ao som do discotecário Chico, residente no Cave.

Quanto mais tarde da noite, mais ele tocava novidades e raridades. Entre as pérolas de seu repertório estavam discos obscuros de gravadoras, como Motown e Stax.

Da escola de Chico apareceram DJs mais jovens, como Sonia, Robertinho e Grego.

DJ PRA QUALQUER OBRA

Nas festas de todos os tipos, Sonia começou outro *affair* que lhe foi fiel a vida toda: as saias justas. Um desses apertos lhe vem à mente em especial. No começo dos anos 2000, Sonia e seu ajudante, o DJ Ezê Mattos, que há mais de vinte anos a auxilia nas festas e clubes por onde passa, foram tocar no aniversário de 70 e poucos anos da matriarca da família Feffer, Fanny Feffer – a família é dona da Suzano Papel e Celulose.

Em 2015, os Feffer, segundo a revista *Forbes*, eram a 15ª família mais rica do Brasil, com fortuna estimada em US$ 2,3 bilhões. *No worries*, porque se tem alguém com experiência em tocar em festas de super-ricos e colunáveis do Brasil, esse alguém é Sonia Abreu. Entre os endinheirados que ela já fez dançar estão Marta Suplicy, Nizan Guanaes, Sonia Diniz, Henrique Meirelles, Henri Philippe... A lista é longa.

O festão dos Feffer para 300 convidados foi organizado pelo irmão da matriarca, Max Feffer, na casa onde a família promovia seus rega-bofes, na Rua México, em São Paulo. A proposta era fazer uma festa surpresa para a senhorinha.

Sonia e Ezê chegaram cedo, como sempre fazem, para arrumar o espaço e tratar dos seus pequenos rituais. A experiência de quase 50 anos de festas ainda não acalma a DJ. "Nas festas maiores, eu levo meu *case* grandão, estante, holofote. Preciso de espaço para me organizar porque eu danço também. Agito. Planejo as músicas para elas contarem uma grande história e para fazerem sentido entre si. Por isso eu tenho um planejamento e organização."

Mas voltemos à festa da senhora Feffer.

Max escondeu um presente na casa da Rua México e pediu para os seguranças conduzirem dona Fanny de olhos vendados até o lugar. Os convidados foram chegando e se espalhando pela casa em silêncio. Não se ouvia um pio. A homenageada e os seguranças se aproximaram. Eis que os seguranças abrem a porta e tiram a venda dos olhos da matriarca.

♪♩ *PARABÉNS PRA VOCÊ, NESTA DATA QUERIDAAAAA* ♪♩ ♪♩

"Meu, você acredita que ela ficou tão surpresa que vomitou e desmaiou?", lembra Sonia. "Ah, mas gente fina é outro esquema, né? Já havia médicos e enfermeiros a postos para cuidar dela. Tinha até uma ambulância", conta.

Sonia e os convidados levaram um grande susto, mas uns 30 minutos depois Fanny já tinha se recuperado. "Eu tive que pensar muito rápido. As músicas que eu colocasse poderiam deixar a turma ainda mais tensa.

Aí comecei a tocar e fiquei dona da situação", relembra. A DJ colocou as emoções no lugar e atacou com sucessos de Nat King Cole, Charles Aznavour e Ella Fitzgerald. Em seguida, colocou a pista cheia para bombar com Bill Haley e a Jovem Guarda. "Esse tipo de festa tem a turminha do jazz, do rock, do eletrônico, e ninguém dança na pista do outro. Aí a manha é ser versátil", diz Sonia.

No casamento do cineasta Arnaldo Jabor com a jornalista Suzana Villas Boas, Sonia fez a pista abrir de tanto o pessoal dançar. Literalmente. O chão da pista era de madeira e rachou enquanto a festa rolava. Suzana era produtora do programa *Saia Justa* na época e fez outros convites para Sonia "rachar a pista". Em 2002, Suzana fez uma festa em sua casa no Alto de Pinheiros para comemorar a boa audiência do programa da GNT. Sonia colocou Rita Lee, Nizan Guanaes, Washington Olivetto, Lulu Santos, Marisa Orth, Fernanda Young, Mônica Waldvogel e uma lista gigante de VIPs para ferver na pista até o sol raiar. "Dessa vez a pista ficou intacta, mas foi uma festa *mutcho loca*, meu", brinca Sonia.

Mas nem toda festa sai com o script mental que Sonia gostaria. "Quando as coisas não estão do jeito combinado, ela não tem paciência de esperar. A Sonia é superprofissional, mas, se pisarem no seu calo, se der os cinco minutos nela, ela vai embora", revela Ezê.

"Uma vez, numa festa chique, me botaram pra tocar num lugarzinho minúsculo e tava um puta frio. Não tinha nem mesa para apoiar os discos, e eu precisava ficar me abaixando para pegar os vinis no chão. Eu já tinha uns 40 anos, sabe? Fiquei puta. Falei: 'Pô, cadê o lugar que eu pedi?'. Aí o cara veio com blá-blá-blá, eu me injuriei e disse: 'Quer saber, meu, não tem DJ. Tchau!'. Fui chorar embaixo da mesa e depois fui embora. Já pensou se dá errado na frente de 500 pessoas? Aí vão dizer que deu errado porque é mulher. A gente não tem que se acostumar com sofrimento. Não pode. Tem que querer o melhor", afirma Sonia. É preciso dizer que foram correndo atrás dela pedindo pra que voltasse pra tocar?

"Ela tem essa coisa masculina, firme. É até autoritária, dura. Não permite que atrapalhem na cabine. Entrar na cabine da Sonia? Meu Deus, ela vira uma onça. Eu aprendi que esse profissionalismo é importante. Aprendi com a Sonia", conta Otávio Rodrigues, jornalista e parceiro de muitas aventuras.

"Toco o que foi planejado e não fico atendendo aos pedidos dos bêbados da festa. Afinal, se eu combino as condições com o contratante, basta cumprir. Quando eu percebo que está tudo em ordem, me acalmo e aí é só curtir. Tem que ter luz para enxergar, um local seguro e limpo para colocar o equipamento e não precisar ficar abaixando. Quando essas coisas são desrespeitadas, eu fico puta", argumenta Sonia.

O DJ Ezê acha graça e sabe que o nervosismo da Sonia já faz parte do show. "Ela é bem ansiosa, viu? Eu me antecipo e seguro a onda dela de um lado e agilizo o que é preciso com o contratante do outro", conta. A DJ revela um medo curioso: "Se esses 'acadêmicos' forem lá me ver, como o DJ Marky, eu até desmaio. Já fico achando que eles vão lá pra me ver errar". Mal sabe ela que o rei do drum 'n' bass é um grande fã. "Tenho ela no meu coração. Adoro a Sonia profissional e a pessoa. E sou muito grato por toda a contribuição dela para a música", derrete-se Marky.

Vida de DJ também pode ser excêntrica. Sonia foi contratada por uma produtora no começo dos anos 2000 para animar uma noite de amor em uma suíte de hotel luxuoso. O contrato não dizia quem era o casal em questão. Claro que ela topou! Montaram uma cabine dentro da suíte de forma que a DJ não pudesse enxergar o cômodo todo. "Não ouvi gemido, grito, vuco-vuco. *Niente*! Foquei no *setlist caliente* que preparei para as cinco horinhas solitárias que passaria na cabine. Dava para o casal fazer um filho. Já pensou, a criança nascer na minha *vibe* musical?", Sonia conta entre risadas.

Quando relembrou o caso em uma entrevista no programa do Jô Soares, da TV Globo, Sonia tocou "Straight To Number One", do grupo

Touch & Go, uma das músicas do repertório executado na suíte do hotel. Jô pediu para baixar as luzes do estúdio e começou um *strip-tease*.

A DJ embalou muitos começos, auges e finais de relacionamentos com sua música. E a música retribuiu proporcionando bons momentos a dois para Sonia. Ela passou alguns dos seus dias e noites mais calientes "traficando", mas não estamos falando dos seus queridos baseados nem de outras drogas. Sonia era uma "traficante de discos"; trazia as bolachas da gringa direto para a rádio Excelsior, negociando a entrada da muamba na aeronave diretamente com os pilotos. Nessa movimentação, Sonia fez várias viagens junto de uma lenda do rádio nacional que balançou seu coração. A história do dial no Brasil se engancha com o tórrido relacionamento entre Sonia e o locutor – e chefão na empresa – Antonio Celso.

CAPÍTULO 5
SONIA XAVECA ABREU

Com seu Abreu na sala da diretoria: quase parentes!

O despertador tocou às 7h30. A moça levantou, escovou os dentes, tomou banho, se arrumou. Fazia muito calor naquela manhã de 1968. Pegou um ônibus e foi parar na Rua das Palmeiras, 315. Ela tinha certeza de que seu plano daria certo. Quando se tem 17 anos, nada parece impossível. E a discotecária, que já agitava a noite de São Paulo, sabia muito bem o que queria.

– Oi. Bom-dia!

– Oi, moça. Posso ajudar?

– Pode. Qual é o seu nome?

– José Pereira, pequena.

– Prazer! É o seguinte: eu quero falar com o diretor da rádio Excelsior.

– O seu Abreu?

– Ele mesmo.

– Poxa, pequena, ele é muito ocupado, não sei se vai poder te atender...

– Pode me anunciar. Eu quero falar com ele.

– Qual é o seu nome, moça?

– SONIA ABREU (disse com voz firme, encarando o porteiro bonitão).

– Como?

– SONIA ABREU.

– Eita! Desculpe a liberdade, hein? É que você é muito simpática.

Triiiiiiimmmm. O porteiro interfona para seu Abreu.

– Alô!

– Oi, seu Abreu. A Sonia Abreu está aqui na portaria e quer falar com o senhor.

– Quem?

– Sonia Abreu.

– Abreu?

– É. Sonia Abreu.

– Ué... ela disse Abreu?

– Disse.

– *Cazzo*! Pede para subir aqui no escritório, por favor.

Sonia pega o elevador e chega ao escritório.

– Oi, bom-dia! Tudo bem com o senhor?

– Bom-dia! A gente se conhece de onde mesmo, minha filha? (ele olha assustado para a jovenzinha que nunca tinha visto na vida).

– A gente se conhece deste instante em diante, para o resto de nossas vidas.

– (risos) Você se chama Sonia Abreu? Abreu?

– Sim.

– O que você quer, minha filha?

Com seus cabelos loiros esvoaçantes, brincos de brilho, calça de sarja vermelha e camisetinha clara, Sonia parecia uma mulher madura com seu semblante sério, decidido. Ela olhou para a mesa gigante do escritório, depois escaneou de cima a baixo Francisco de Paula Noronha de Abreu, o seu Abreu, senhor careca de 67 anos, de terno alinhado, o todo-poderoso da rádio mais influente na época. E disse sem cerimônia:

– Eu gosto muito da programação da rádio, viu? Acompanho sempre. Eu amo música, sabe? Mas acho que dá para ficar ainda melhor. Quero uma oportunidade para fazer a programação daqui.

– No duro? É sério, minha filha?

– No duro. Seríssimo, meu senhor.

Silêncio.

– (risos) Pior que eu gostei disso. (Trimmm) Paulo Leivas? É o Abreu. Dá um pulo aqui na minha sala, por favor.

– Opa! Um minuto, chefe (sotaque carioca).

Paulo Leivas era um dos diretores artísticos da rádio.

– Seu Abreu, quem é a moça?

– É uma Abreu também, acredita? (gargalha). Chegou aqui dizendo que conhece tudo de música e quer um espaço aqui. Leve-a à discoteca e vamos ver se dá certo para aquele projeto.

Leivas mostra um pouco da rádio para a moça. Eles passam por um corredor com três estúdios da rádio Nacional (dois de gravação e um para as transmissões ao vivo, além de outros dois estúdios da Excelsior).

Passam em frente à sala do Silvio Santos. Descem por uma escadinha de acesso a um corredor com banheiros, passam pela sala do então locutor Antonio Celso, pelo café, até chegarem à discoteca.

– Uau! Isso aqui é incrível e enorme!

– Pois é, Sonia... Abreu, né? É filha do homem, broto?

– Magina. É só coincidência (risos).

Com Silvio Santos na discoteca da Excelsior em 1968

Diva da música: na discoteca da Rádio Excelsior em 1969

– Bem, parece que o acaso te deu sorte. Agora você precisa mostrar que gosta mesmo do que diz gostar. Está vendo estes vinis aqui?

– Sim. Milhares, hein?

– Pois é. Este aqui é um listão de músicas da rádio. De manhã a gente ainda está colocando o que dá certo, as músicas pop, mas queremos testar a aceitação do público com outras vertentes. Conhece máquina de escrever, menina?

– Claro!

– Você vai montar uma programação pra gente para o piloto do programa *A Noite é Ceasa*. Conhece o Ceasa?

– Das frutas? Onde tem sopa de madrugada?

– Isso (o Centro Estadual de Abastecimento, atual Ceagesp, é o local onde são comercializados produtos perecíveis de varejo. Por mês, 250 mil toneladas de frutas, legumes, verduras, pescados e flores são vendidos ali). Nós vamos fazer um programa de quatro horas. A conta é a seguinte: tocamos quatro músicas de dois a três minutos e depois entra o comercial do Ceasa. Para completar quatro horas, você vai escolher 16 blocos com quatro músicas e anotar. Uma dica: a gente está pensando em coisas mais loucas e rock 'n' roll, entende?

– Ok!

"Eu sentei de frente para aquela máquina de escrever da época do Pedro Álvares Cabral e olhei a lista. Eu poderia ir à cabine e ouvir, mas nem precisou. Eu conhecia tudo", lembra Sonia.

Paulo Leivas deixou a garota na discoteca da Excelsior e voltou depois de 30 minutos. Ela já tinha feito a tarefa, e Leivas levou a programação à sala do seu Abreu.

– Olha isso! "All the Young Dudes", do Moot the Hoople, "Frankenstein", com Johnny Winter and Edgar Winter, "Don't You Worry 'Bout a Thing", com Sérgio Mendes...

– Ousada, né, seu Abreu?

– Ousada. Muito. Manda chamar.

Sonia retorna à sala do chefão.

– Minha filha, quando você pode começar?

– Hoje! (sem titubear)

– Rsrs. Faça assim: reúna esses documentos e volte amanhã. Parabéns!

Dessa forma nasceu a amizade entre Sonia e Francisco Abreu. A garota virou um verdadeiro xodó para o "senhor Excelsior". Tanto que ela e o Chiquinho passaram algumas datas comemorativas, como o Natal, na casa da família do chefe.

O *A Noite é Ceasa* entrava na programação da meia-noite às 4 horas. Se a rádio precisava de alguém para colocar loucura e rock 'n' roll no ar, Sonia era a pessoa certa.

Francisco Abreu foi diretor-geral das rádios do grupo Globo por 23 anos. No início das atividades da TV Globo, era com o lucro das rádios que o grupo equalizava as finanças. Quando seu Abreu teve um aneurisma, aos 77 anos, Sonia indicou seu tio neurologista Silvio Saraiva para o tratamento, mas o adorado chefe faleceu pouco tempo depois.

Assim começou a história de Sonia no grupo de comunicação mais poderoso do Brasil. Mas, acredite, ainda era pouco para suas ambições.

CAPÍTULO 6

A SUPERMÁQUINA DO SOM

Indo tocar na boate Papagaio Disco Club: moleca estilosa

"Me casei com a música e com o rádio." Essa era a chamada da reportagem "O balanço da discotecária", publicada em dezembro de 1976 no *Jornal da Tarde*, sobre a DJ que iria inaugurar a primeira discoteca de São Paulo, a Papagaio Disco Club. Já que seu casamento era com a música, nada mais coerente do que comer a carne onde se ganhava o pão.

Desde sempre foi assim. Os amores de Sonia emaranhavam-se em sua vida assim como uma fita se encaixa num gravador Akai. Até o primeiro beijo teve como locação um salão de festas. Ela tinha uns 15 anos e estava com a família em Ouro Fino, Minas Gerais. "Sul de Minas era a terra do nosso avô. A típica viagem que a família adorava. A Sonia Maria (forma como alguns familiares se referem a Sonia) liderava as brincadeiras com os primos, sempre carregando sua vitrolinha Philips para cima e para baixo", conta a prima Silvana Abreu.

"Me casei com o rádio e com a música"

Sonia Abreu, que trabalha na rádio Excelsior, é a primeira discotecária do Brasil. Essa semana, estará colocando um novo balanço na discoteca Papagaio Disco Club. Entre as muitas inovações que pretende introduzir, destacam-se: "uma montagem de som e um maior visual. Pretendo misturar várias músicas, fazendo um negócio bem diferente, e quero colocar filmes, jogos de luzes, fumaça de gêlo seco. Dar um ambiente bem descontraído e ver a pista cheia".

O balanço da discotecária

Recorte de jornal da época mostra Sonia e o DJ Robertinho na cabine da discoteca Papagaio

Numa dessas viagens a Ouro Fino, um menino chamado José Eugênio chegou ao salão da casa onde Sonia e os primos estavam e começou a bater papo. Ele conhecia os *points* locais e era amigo das bandinhas da região. "Logo de cara, me interessei por ele. Nhe-nhe-nhem pra lá, nhe-nhe-nhem pra cá, o menino me deu um beijo. Se eu gostei? Sei lá, viu. Eu quase morri afogada", conta Sonia entre gargalhadas sobre o seu primeiro beijo na boca.

Já a primeira transa não teve o mesmo tom de comédia. Típica história de abuso sexual disfarçada de bebedeira que até hoje se vê aos montes por aí. "Estava num baile de Carnaval em Rio Claro, onde eu passava férias, bebi todas e fiquei trêbada. Aí um cara chamado Belmonte chegou, me tirou de lado e fomos parar num carro. Eu não me lembro de muitos detalhes, mas sei que voltei para o baile com uma mancha de sangue na roupa. Minha mãe viu e falou poucas e boas no meu ouvido", relembra Sonia, com um semblante que mistura deboche e raiva ao mesmo tempo.

Apesar de ser uma fortaleza, capaz de passar por assuntos como a tal transa do Carnaval com impassibilidade, Sonia tem um medo que os mais chegados conhecem bem. Ela tem horror a sangue e detesta hospitais. "Nosso tio a levava com ele para acompanhar as cirurgias, e ela pegou trauma", conta a prima Silvana.

Esse medo ela teve que encarar algumas vezes quando se viu grávida e quis interromper as gestações. Capricorniana, católica de nascimento e freelancer em diversas religiões, Sonia encarou os abortos de forma prática, talvez pelo pragmatismo com que o zodíaco a presenteou, já que o assunto nos anos 1960 e 1970 era um verdadeiro tabu na *high society* paulistana.

Nessa época, falar sobre sexo era impensável. Camisinha era algo quase impossível de conseguir, uma vergonha. Pílula anticoncepcional, então, era coisa de outro mundo. "Você caía na vida, transava e nem sabia o que fazer, a gente não tinha educação sexual em casa. Era coisa feia", lembra Sonia. "Eu tinha curiosidade sobre o assunto; um dia eu fiquei embaixo da cama da minha mãe pra ver se pegava alguma coisa. Eu queria saber, mas ninguém contava. Era muito difícil essa época."

Segundo ela, "tudo" acontecia por descuido, falta de informação, e era "resolvido" de forma rápida. Os procedimentos eram feitos por amigos de seu pai, dr. Abreu, com aval dele. "Ele ficava puto. Já minha mãe, que era uma pessoa muito infeliz, não tinha como me ajudar", pondera. Mesmo proibido, o aborto tem sido uma opção nem tão secreta assim – e relativamente segura – para as brasileiras mais abastadas há várias décadas.

"Eu nunca entendi por que fazia isso. Lembro que minha mãe chegou a ir comigo ao Hospital Santa Joana numa das vezes. Hoje eu me arrependo, porque não formei uma família. Dá um pouco de vazio. Por outro lado foi bom, porque eu não poderia me dedicar a uma família naquela época. Minha família era a Kombi, a pista, o trio elétrico", lembra a DJ, que passou por quatro abortos.

Seus casos amorosos não chegavam a durar mais que uma estação, até que um rapaz dez anos mais velho surgiu para virar a cabeça da garota. Aos 17 anos ela realizou seu sonho ao ser admitida como programadora e produtora na rádio Excelsior. O ano era 1969, e uma verdadeira paixão proibida estava prestes a eclodir.

Nascido em Jaú, interior de São Paulo, Antonio Celso Cipolla se iniciou no ofício de locutor cedo, aos 16 anos. Aos 18 foi contratado pela Jovem Pan e nos anos 1970 fez história no comando da Excelsior, emissora da qual foi supervisor até 1980. Quando conheceu Sonia, Antonio Celso era casado e já tinha quatro filhos. Além do romance proibido, a parceria musical de Sonia e Antonio Celso rendeu frutos que marcaram o desenvolvimento do rádio no Brasil.

Antonio Celso mandava e desmandava no pedaço. É dele o *slogan* que marcou a mudança de *mood* da emissora, que foi de careta para moderninha. "Viaje com a Excelsior, a Máquina do Som" foi o mote criado por Celso. Tinha um duplo sentido, apesar de a leitura de "viagem" associada ao uso de maconha ter passado batido pelo corporativo careta da rádio.

Produtora de mente inquieta e criativa, Sonia não demorou a chamar a atenção do chefe e logo passou a formar com ele uma dupla que foi responsável por alguns dos programas mais importantes do rádio no Brasil. Entre eles, o *Pediu, Tocou, Ganhou*, que contava com a participação de ouvintes por meio de carta e telefone.

Na rádio, Sonia trabalhava como programadora e produtora. Com outros programadores, votava nas músicas que deveriam entrar na programação normal e, nos programas especiais, escolhia as músicas enquanto o locutor falava. "Não demorou muito pra turma começar a chamá-la de Soniaplasta, por causa do seu trabalho como sonoplasta (era assim que se referiam aos DJs) no Mirage. Na Excelsior, mesmo com todas as suas ideias, ainda não dava para ser locutora. Para a sociedade machista da época, era difícil aceitar uma voz feminina anunciando as músicas, ainda que uma mulher as escolhesse", conta Hélio Costa Manso, amigo de adolescência com quem Sonia gravou uma das primeiras versões cover do Brasil.

A sintonia musical e o jeitão de "homem feito" de Antonio Celso despertaram algo até então novo para Sonia: uma loucura sexual. A Soniaplasta se viu totalmente apaixonada, e as escapadas da dupla não eram segredo para grande parte do *casting* da rádio. "Celso era um aquariano que chegava junto mesmo. Falava o que pensava e acabou, entendeu?", descreve Sonia.

O rolo com o chefe só seria estremecido depois que a garota conheceu o primeiro músico que conseguiu balançar seu coração. Francisco dos Santos Jr., o Chiquinho, era percussionista da Banda da Ilusão, de Ronnie Von. O músico era tímido, mais jovem que ela e "muito charmoso e bonitinho", conta Sonia.

Eles se conheceram no Festival Phono 73, realizado no Centro de Convenções do Anhembi, em São Paulo, entre os dias 10 e 13 de maio de 1973. Promovido pela Phonogram, atual Universal, o festival nasceu como um evento de marketing para promover a gravadora, mas acabou se tornando um forte marco político, já que o Brasil atravessava um período brabo da ditadura militar. Boa parte do elenco da Phonogram se apresentou no festival, entre eles nomes já consagrados da MPB, como Chico Buarque, Elis Regina, Caetano Veloso, Gal Costa, Gilberto Gil, Maria Bethânia, Jorge Ben, Rita Lee, Mutantes, Raul Seixas e Odair José.

Sonia e Antonio Celso eram os responsáveis pela transmissão do festival, feita pela Excelsior. Nos bastidores, Sonia notou um rapaz de sorriso fácil e olhar conquistador fixo nela. Era Chiquinho, vestindo calça jeans básica e camiseta com um decote que deixava o peitoral à mostra. Ali mesmo rolou o primeiro papo entre os dois, sob o olhar atento de Antonio Celso. Sonia aceitou o convite de Chiquinho para ir ao cinema. Em pouco tempo o percussionista já estava acompanhando Sonia em shows, sessões de cinema e nos encontros de amigos na casa de Hélio Costa Manso. Finalmente ela estava vivendo um romance com um homem de idade próxima à dela e que não era casado. Essa relação "sem pecado" nem "culpa" a deixava feliz.

Com Chiquinho, em lua de mel em Bariloche

O namoro evoluiu para casamento muito rápido. Dona Aduzinda bancou toda a cerimônia, que foi celebrada no dia 13 de maio de 1974 (exatamente um ano depois do primeiro flerte do casal) na igreja Nossa Senhora do Brasil, uma das mais concorridas entre as famílias ricas de São Paulo até hoje. Ronnie Von foi um dos padrinhos. Colega de Excelsior, Silvio Santos deu ao casal um jogo de copos azuis. A lua de mel foi pra lá de chique: uma viagem a uma estação de esqui em Bariloche, Argentina. Sonia ainda ganhou um apartamento da família na Rua Capote Valente, número 616, onde os recém-casados foram morar. Finalmente parecia que felicidade rimava com casamento e família, além da música.

No entanto, o plano de se manterem firmes no juramento "até que a morte os separe" duraria pouco. Sonia arrumou um emprego para Chiquinho na Som Livre, gravadora carioca fundada pelo produtor musical João Araújo (pai de Cazuza) em 1969 com o objetivo de lançar e, principalmente, lucrar em cima de trilhas sonoras das novelas da Globo. A ponte aérea que Chiquinho passou a frequentar semanalmente, entre Rio e São Paulo, trouxe turbulências para a vida do casal. O sucesso profissional de ambos – Chiquinho promovendo os bombásticos discos da Som Livre, enquanto os programas da dupla Sonia Abreu e Antonio Celso faziam história – não se repetiu entre quatro paredes.

Sonia sentia que o marido estava diferente depois de um ano e meio de casamento. "Ele estava um pavão. Talvez tivesse arrumado uma amante no Rio, mas eu nunca soube. O casamento foi algo meio inconsequente de dois jovens cheios de hormônios", conta Sonia. A chama da paixão juvenil foi se esvaindo, e Chiquinho e Sonia terminaram o casamento. Antonio Celso, seu chefe galanteador, era adepto do ditado *águas passadas não movem moinhos*. "A Sonia era uma tremenda profissional, uma ótima programadora. Sobre as outras coisas prefiro não falar. Nós erramos. Éramos jovens", desconversa o radialista.

No mundo de hoje, em que bastam alguns cliques no mouse para ouvir qualquer música, de rap francês a techno paraguaio, talvez seja difícil entender como era complicado conseguir novidades musicais num país onde tudo que era novo ou moderno vinha de fora. No Brasil dos anos 1970, quem lia as revistas americanas *Billboard* e *Cash Box* era rei. A Excelsior ficava de olho nessas revistas para trazer ao Brasil os LPs do momento dos Estados Unidos e da Europa, pelas viagens de Sonia e Antonio Celso, pelo tradicional tráfico de vinis feito por pilotos e comissários de bordo das companhias aéreas ou, ainda, trazidos sob encomenda por amigos da dupla.

"Quando eu morava em Milão, a Soninha estava sempre ligada nas novidades e me pedia para trazer algumas bolachas da Europa. Ela sempre fez um trabalho muito detalhista e caprichado, de acordo com a proposta artística. Com ela, mesmo hoje, não tem esse negócio de uma seleção pronta de pen drive. Sonia usa todo o seu conhecimento e bom gosto em favor da história que ela quer contar. É assim nas festas e era assim nas suas programações na rádio", conta Antonio Peticov, artista plástico brasileiro conceituado internacionalmente e um dos amigos "traficantes musicais" da DJ. Com uma dupla de faro tão apurado no garimpo da seleção musical, a Excelsior viveu seus tempos áureos.

DAS MISSAS PARA O POP INTERNACIONAL

A PRG-9 Rádio Excelsior AM (atual CBN – Central Brasileira de Notícias) foi fundada em novembro de 1934 por Paulo Machado de Carvalho. O advogado e empresário era conhecido pelo apelido de Marechal da Vitória, por ter sido o chefe da delegação brasileira em duas Copas do Mundo (as campanhas vitoriosas de 1958 e 1962, com Pelé e Garrincha). Para os amantes do futebol, seu nome não é estranho. O Estádio do Pacaembu, em São Paulo, oficialmente se chama Estádio Municipal Paulo Machado de Carvalho. Não à toa.

Machado de Carvalho também foi responsável pela criação de veículos de comunicação, como a Rede Record de Televisão e a Rádio Sociedade Record. Com o *slogan* "A voz querida da cidade", a Excelsior começou com uma programação dedicada à música erudita, programas culturais, missas e transmissões de corrida de cavalo.

A popularidade das transmissões de missas da Igreja Nossa Senhora do Carmo fez com que a programação da emissora mudasse em maio de 1936. Após um acordo entre a Arquidiocese de São Paulo e o patrão da emissora, a Excelsior se tornou "A Voz de Anchieta", a primeira estação católica do mundo.

Em 1953, o empresário Victor Costa comprou a Excelsior, e a rádio passou a ser coirmã da Rádio Nacional (hoje Rádio Globo São Paulo). Em 1966, as Organizações Globo, do empresário carioca Roberto Marinho, compraram todas as empresas de comunicação das Organizações Victor Costa, inclusive a Excelsior.

Dois anos depois, a emissora teve sua programação reformulada, abrindo as portas para uma novidade a que os brasileiros só teriam acesso de forma ampla muitos anos depois, com a chegada das rádios FM. A Excelsior criou uma programação jovem, focada em música pop. Antes voltada para um público mais conservador, a elite paulistana, agora a Excelsior atingia um público bem maior. Grandes talentos das comunicações marcaram a história da emissora: Osmar Santos, Fausto Silva, Silvio Santos, Kid Vinil, Lucimara Parisi, Heródoto Barbeiro, Joelmir Beting, Lillian Witte Fibe, Nair Belo e, claro, a dupla Sonia Abreu e Antonio Celso.

Um dos responsáveis pela criação da atual rádio 89 FM, Luiz Fernando Magliocca, define a aura em torno da Excelsior: "Havia outras rádios populares e um começo de FM. As emissoras AM, Excelsior e Difusora, brigavam pela audiência dos jovens. Em 1976 e 1977, o governo decretou que as rádios iam ficar com maior qualidade e ter a estrutura das FMs, mudar de kilowatts para megawatts. A

Excelsior e a Difusora já estavam à frente desse processo. Quem veio depois seguiu os passos dessas duas emissoras. A Difusora focava em música americana, soul, black. A Excelsior, com o Antonio Celso e a Sonia Abreu, abria mais o leque, com rock inglês, música italiana, francesa. Ambas queriam impactar os jovens e corriam para mostrar as novidades", conta o radialista.

A Excelsior era realmente eclética. Por meio do contrabando musical de Sonia e Antonio Celso chegavam ao Brasil Black Sabbath, Elton John, ABBA, Peppino di Capri, além de discos da Motown, como Stevie Wonder, Diana Ross, Jackson Five...

"Em 1972, o Antonio Celso anunciou que tocaria na rádio um disco inglês que tinha acabado de sair, um tal de *Ziggy Stardust*, de um cara andrógino chamado David Bowie. Se não bastasse, no mesmo dia rolou T-Rex. Eu simplesmente pirava nessa programação maravilhosa da Sonia", relembra o cantor e radialista Kid Vinil sobre a influência do trabalho da amiga, DJ com quem dividiu cabine, e também sua colorista particular – Sonia pintou o cabelo de Kid diversas vezes de vermelho.

O jornalista e DJ Otávio Rodrigues também entra na lista dos devotos do poderio musical da DJ. "Uma pena eu ter entrado na Excelsior depois que ela já tinha saído. Só a conheci como DJ mais tarde. O grande babado mesmo é o som que ela faz. Alguns DJs são performáticos, outros, figurantes. O negócio dela é a arte musical. Não conheço ninguém que faça uma sequência igual. Quem diria que lá na frente a gente seria parceiro de sound system, reggae, rádio ambulante e tantas coisas legais", conta. Como veremos mais adiante, Otávio e Sonia dividiram muitas aventuras.

Por conta do sucesso da programação, a Som Livre decidiu reunir os hits da Excelsior em uma coleção de álbuns chamada *Viaje com a Excelsior – A Máquina do Som*, lançados entre 1974 e 1978. O trabalho, organizado por Sonia, vendeu milhares de cópias. Quem ouviu rádio nos anos 1970 com certeza ainda se lembra das pedradas musicais registradas em algumas das oito coletâneas lançadas com esse nome, sete delas compiladas por Sonia Abreu.

Fã tardio, mas não menos ardoroso do trabalho de Sonia, o DJ Marky fala sobre a importância dessas compilações. “Eu não tinha a menor noção de que ela esteve envolvida com essas coletâneas. Não cheguei a escutar a Excelsior em casa, era muito novo, mas meu pai ouvia. Eram coletâneas com muita música boa, vários hits. Tenho um respeito gigantesco pela Sonia, um carinho enorme por ela, a considero uma batalhadora, uma guerreira, uma pessoa incrível”, diz o DJ, um dos mais respeitados do mundo.

CAPÍTULO 7
A MÃO QUE BALANÇA A DISCO

Foto de colunista da revista *Pop*

Em 1976, a black music, que havia alguns anos vinha ensaiando uma tomada de poder nas periferias e nos subúrbios das grandes cidades brasileiras, se infiltrava nas festinhas da classe média por meio de um novo ritmo: a disco music.

Nesse ano, o Brasil ganhava aquela que talvez tenha sido a sua discoteca mais famosa, a Frenetic Dancing Days, no Rio de Janeiro. Sob o comando do jornalista e empresário Nelson Motta, a Dancing Days reunia artistas, intelectuais, empresários cheios da grana e todos os doidões da época.

A discoteca (ou "boite", uma variação mais jovem para o cansado termo boate) serviu de berço para o sexteto feminino As Frenéticas e inspirou uma novela de sucesso da TV Globo. Com Sonia Braga no papel da mocinha Julia Matos, *Dancin' Days* foi ao ar em 1978, um ano depois do lançamento do blockbuster *Saturday Night Fever* (*Os Embalos de Sábado à Noite*), levando o novo *lifestyle* dos brotos urbanos aos quatro cantos do país. Já na Dancing Days da vida real, que funcionou primeiro no Shopping da Gávea e depois no Morro da Urca, quem mandava era o saudoso DJ Dom Pepe, falecido em 2014.

Se dentro das discotecas a classe mais abastada dançava ao som das Frenéticas, Rita Lee, Ronaldo Resedá, Lady Zu e hits internacionais como "Zodiac" (Roberta Kelly), "Freak Out" (Chic), "Don't Let Me Be Misunderstood" (Santa Esmeralda), entre outros, nas periferias de São Paulo e do Rio de Janeiro outra febre vinha trazer mais swing à disco music brasileira: a cultura black chegava com grande valorização ao país, representada por ícones como Tony Tornado e Wilson Simonal.

Vou abrir um parêntese para falar sobre os discotecários que fizeram do Rio de Janeiro a meca das discotecas no Brasil: Ademir Lemos brilhava no Le Bateau; o maranhense Monsieur Limá arrebentava no Arpége; o DJ Amandio fazia a alegria dos gays no Sótão, dentro da Galeria Alaska. E, orbitando numa camada superior da atmosfera, o primeiro dos DJs superstars do Brasil, Ricardo Lamounier, ícone absoluto da disco music tupiniquim.

Nascido numa família de músicos, Lamounier começou cedo na noite. Aos 13 anos estreou como DJ num pequeno clube, o Samba Top. Aos 20 já havia trabalhado com os empresários mais poderosos da noite carioca da década de 1970: Ricardo Amaral, Francisco Recarey e Hubert de Castejá.

Lamounier foi pioneiro em vários aspectos. Foi um dos primeiros DJs a fazer *performance* na cabine. Durante os sets, usava sempre macacão de lamê e cachecol. Lembrava um super-herói de desenho animado, uma mistura de Ultraseven com Elvis Presley.

Em 1976, Ricardo Lamounier fez o primeiro de uma série de cinco discos que lançaria com a marca da discoteca que ajudou a imortalizar, a New York City Discotheque. Naquele ano, então, chegava às lojas o primeiro disco mixado do Brasil.

A New York City Discotheque abriu suas portas em maio de 1976, tornando-se oficialmente a primeira discoteca brasileira. A empreitada foi uma ideia de Carlos Wattimo, moço que saiu do Rio Grande do Sul rumo aos Estados Unidos, virou soldado na Guerra do Vietnã, foi ferido em combate, voltou condecorado e decidiu levar para os cariocas a novidade que havia conhecido em Nova York.

E, claro, havia o DJ Big Boy, que fazia os Bailes da Pesada e Baile da Cueca (este último em parceria com Ademir Lemos). Não que ele surfasse na onda da disco, mas foi um nome fundamental para o fomento à black music no Rio de Janeiro, ajudando a preparar o terreno para a explosão do funk anos mais tarde.

Anotou aí? Entre esses nomes todos não havia sequer uma mulher.

As primeiras faixas de disco music começaram a pipocar em 1973, porém um importante marco na timeline do estilo foi "Soul Makossa", lançada em 1972 pelo camaronês Manu Dibango, talvez o primeiro hit a merecer a tag "disco music", com direito a luzes de neon piscantes. Seu refrão foi incorporado a músicas de muitos artistas, de Michael Jackson em "Wanna Be Startin Somethin" (do álbum *Thriller, de*

1982) a Rihanna (*Don't Stop the Music,* de 2007). Em visita ao Brasil, o pioneiro artista africano viveu boas aventuras ao lado de quem mais? Sonia Abreu.

Enquanto as discotecas cariocas bombavam com discotecários (sim, o uso corriqueiro do termo disc-jóquei veio bem depois, em meados dos anos 1980) criativos e que levavam a vantagem de ter mais perto das mãos lançamentos em vinil chegando na bagagem de comissários de bordo e pilotos via Aeroporto Internacional do Rio de Janeiro e Galeão, em São Paulo, a cultura das discotecas estava prestes a ganhar um de seus maiores ícones: a Papagaio Disco Club.

Como que dando uma alfinetada no Clube do Bolinha carioca, o dono do novo *point*, o empresário Ricardo Amaral, convocou uma mulher para ser uma das residentes. Claro que era a Sonia.

Se havia alguém com faro treinado para identificar bons funcionários para seus empreendimentos noturnos, esse alguém era Ricardo Amaral. Antes mesmo de completar 18 anos, ele já trabalhava como colunista social contando tramas e embalos da noite. Em 1974, Ricardo tornou-se proprietário do primeiro clube *privé* do Brasil, desses em que a pessoa precisava ser sócia com carteirinha para frequentar, o Hippopotamus. O clube teve filiais em São Paulo, Rio de Janeiro e Salvador, por onde passaram discotecários míticos, como Índio Blues, Luciano Jacaré, Carlos Alberto Pagotto, Grego, Ricardo Lamounier, Arthur Matossian, entre outros.

Em 1977, Ricardo Amaral inaugurou a Papagaio Disco Club, propondo um novo conceito de discoteca em São Paulo – o Rio já havia sido apresentado a esse novo *way of life* com a chegada da Dancing Days e da New York City Discotheque. Sem mesas nem cadeiras, o foco era a pista de dança, decorada de um jeito totalmente novo: bicicletas penduradas no teto, espelhos, fumaça de gelo seco, luzes de neon, projeção de filmes de 16 mm nas paredes e uma ampla cabine para o DJ. Além disso, era possível comprar ingresso na bilheteria, como num cinema, e entrar sem pegar comanda ou consumação mínima. Totalmente diferente das boates.

O DJ Robertinho, que havia trabalhado no Hippopotamus e anos depois ganharia fama e muito dinheiro tocando no Gallery, foi um dos residentes da casa e lembra o momento da inauguração: "Nossa, tinha filas e filas para estacionar. Eu e a Sonia tocamos nesse dia. Eu nem sei por onde começar a falar sobre a Papagaio: som maravilhoso, decoração elegante, só tinha gente legal. E não era barato. Tinha gente que juntava dinheiro por dias para ir à Papagaio. Eu me lembro de ter um black power na época, era um barato. Os DJs eram bem remunerados, e quem tocava era reconhecido", conta.

Com o DJ Robertinho em foto recente – os dois foram residentes da discoteca Papagaio Disco Club no final dos anos 1970

Ricardo Amaral lembra que o DJ começou a ganhar status nessa época: "Fui o primeiro a dar uma dignificada no DJ e o transformei no cara mais importante na hierarquia da noite. No Hippo, por exemplo, o truque era pôr o DJ logo na entrada da casa. Assim, quem entrava logo o via. Mas, na verdade, o ganha-pão do DJ no passado eram aquelas fitas cassete vendidas nas boates. Era com isso que ele ganhava grana, porque um DJ fazia tipo R$ 100 por noite, isso os melhores, hein! Hoje em dia isso mudou completamente".

Sonia Abreu já sacudia a moçada com sua programação na rádio Excelsior, ao lado de Antonio Celso e Big Boy, quando recebeu o convite para tocar na Papagaio. "A disco chegou numa explosão, de uma vez só. A moda era muito colorida. Apareceram aquelas meias de lurex douradas, prateadas", descreve Sonia, a primeira DJ mulher a tocar numa discoteca brasileira.

Para delírio do público e certa desconfiança dos DJs, aquela loira alta, elegante, de jeito firme, chegou na Papagaio vestindo calças de odalisca feitas pela amiga e guru Lucinha (imortalizadas depois por Ney Matogrosso no grupo Secos & Molhados) e, nos pés, alpargatas bordadas e cobertas de cetim. "A pista era de acrílico. Eu precisava ir de calça porque senão dava pra ver tudo", conta.

Na inauguração da Papagaio, o set da discotecária impressionou pela ousadia: uma sequência com "Circo Marimbondo", de Airto Moreira, "Could It Be Magic", de Donna Summer, "Don't Leave Me This Way", de Thelma Houston, e "The Love I Lost", de Harold Melvin and the Blue Notes. Ali já ficava claro aos dançarinos que a tal discotecária não tinha vindo para brincar.

"A noite hoje é mais juvenil do que era e se segmentou. Há poucas referências da noite do passado. Mas acho que há espaço para a volta do glamour; tenho percebido alguns lugares charmosos que vêm apostando nisso", analisa Ricardo Amaral.

Sonia tocou por dois anos na Papagaio, às sextas e sábados, da meia-noite às 2 horas da manhã, e nas matinês de domingo, quando a discoteca abria mais cedo. Nas matinês rolavam sons de Jimi Hendrix, UFO, Led Zeppelin e o rock que fazia a cabeça dos antenados na época.

"A Sonia tem seu próprio estilo, é versátil, traz boas pitadas de reggae, rock e world music. Com relação aos DJs, ela sempre ficava na dela. Claro que o pessoal perguntava quem era a tal discotecária, mas ela botava autoridade", descreve Robertinho.

"Uma vez eu vi a Sonia tocando na Papagaio", diz Mister Sam. "Eu ia pouco lá porque a cabine era no teto da discoteca, e o Ricardo Amaral não deixava muita gente entrar. Eu não ia às discotecas para dançar; na maioria das vezes eu ia para divulgar as minhas músicas e as internacionais da gravadora em que eu trabalhava", conta o discotecário argentino que entrou para a história da disco music nacional ao produzir a cantora Gretchen. "A Sonia era um espetáculo à parte, por ser mulher mexendo nos pickups. Que eu me lembre, só tinha ela de mulher até o fim dos anos 1980", pontua Sam.

Em 1978, Sam comandava a cabine da discoteca Banana Power. Dividia o tempo entre as discotecagens e um emprego na gravadora Copacabana. Ele lançou quase 30 coletâneas de disco music com o próprio nome estampado na capa e ganhou fama no Brasil.

Sucesso arrebatador mesmo só com a Gretchen, com quem ganhou cinco discos de ouro e três de platina. Sam a viu participando do programa Silvio Santos. Ficou encantado com seus dotes e foi atrás da moça. Bolou umas letras muito loucas, deu o nome Gretchen a Maria Odete Brito de Miranda e já abriu os trabalhos com um compacto estourado, "Dance With Me", de 1978.

Depois das Frenéticas e de Gretchen, outra brasileira invadiu as pistas e os *cases* dos DJs: a paulista Lady Zu, que entrou para a história com o hit "A Noite Vai Chegar", cujo compacto simples vendeu 1 milhão de cópias e foi tema de novela global.

Outro megahit da era disco foi gravado pelo ator, dançarino e cantor Ronaldo Resedá. De look abertamente gay e hedonista, Resedá emplacou várias faixas dançantes em trilhas de novelas, mas nada superou "Marrom Glacê". Não bastasse a música ser um convite à ferveção, Resedá surgia num clipe dançando num bufê chiquérrimo.

A disco brasileira ainda teve sua fase de negação ao *nightlife*, com artistas que representavam um estilo de vida mais saudável. O paulistano Dudu França foi um dos maiores ícones dessa onda geração saúde, com seu hit "Grilo na Cuca" estourando de norte a sul do país, como parte da trilha sonora da novela *Marrom Glacê*.

Ainda que já tivesse seu nome maravilhosamente consolidado na música brasileira desde os anos 1960, o músico e compositor Marcos Valle acabou pegando uma rebarba dessa *vibe* de saúde quando lançou em 1983 a música "Estrelar", talvez seu maior hit até hoje. No ano seguinte, Valle estourou com a música "Bicicleta", hino do povo que trocava bons drinques por surfe e sanduba natural na praia. Até Tim Maia viveu seu *affair* com a disco music no álbum *Tim Maia Disco Club*, lançado em 1978 e considerado um dos melhores de sua carreira.

É verdade que foi durante os loucos anos da disco music que a figura do discotecário floresceu e mudou de status. O ofício, antes marginalizado, chegou a ser tratado como uma profissão de verdade pela primeira vez.

"Eu nunca pensei muito nesse lance de ser a primeira mulher DJ. Talvez os outros DJs subestimem a capacidade da mulher, mas eu nunca me preocupei. A disco tinha estilos diferentes: um mais black, outro mais white. Nessa época, o rock continuava forte e eu sempre colocava Jimi Hendrix, UFO, Led Zeppelin, Raul Seixas junto com Village People, Harold Melvin and The Blue Notes, Roberta Kelly e Frenéticas na Papagaio. E a galera pirava", lembra Sonia.

"Na Papagaio, acho que foi a primeira vez que me deu uma questão de ego. Lá era um ambiente totalmente diferente, com muito glamour. Nunca tinha existido um lugar como aquele. Eu lá em cima, naquela cabine maravilhosa, imensa, ficava orgulhosa. Acho que foi a primeira vez que eu me senti estufada. Eu me pelava de medo do Robertinho, ele tinha técnica pra caralho. Eu chegava antes e ficava vendo ele mixar, observava como ele fazia. Esse medo que eu tinha com ele eu ainda tenho, com qualquer outro DJ", contextualiza Sonia.

Além dos sucessos na cabine da discoteca, Sonia também foi responsável pela seleção do repertório de duas das coletâneas da Papagaio Disco Club lançadas em vinil pela Som Livre. Um hit de vendas que até hoje circula em sebos de todo o país.

É provável que nenhum colega de cabine admitisse abertamente qualquer postura machista ou olhar torto para Sonia, mas uma lembrança é clara em sua memória: para os encontros da panelinha dos discotecários ela nunca foi convidada. Os tempos eram outros. Se ela se abateu com isso? Jamais. Aquilo que não mata me fortalece, diria Friedrich Nietzsche.

CAPÍTULO 8
HELLO, CRAZY PEOPLE

O professor de Geografia Newton Duarte se transformava no debochado DJ Big Boy quando o assunto era música; ele foi parceiro de Sonia na Excelsior

Jacques Kaleidoscópio foi um dos primeiros DJs no estilo rádio rock. Antonio Celso, uma das grandes vozes dos anos 1960 e 1970. Otávio Rodrigues produziu e apresentou o primeiro programa de reggae do Brasil, o *Roots Rock Reggae*, na Nova Excelsior FM, em 1982 e 1983. Além desse trio de ouro do rádio, Sonia Abreu também conviveu intensamente e foi parceira de trabalho de mais uma lenda do dial nacional. O primeiro DJ realmente conhecido do povão, um verdadeiro popstar, o ícone Big Boy.

Newton Alvarenga Duarte era professor de Geografia no Colégio de Aplicação da Universidade Federal do Rio de Janeiro, no fim dos anos 1960. Esse perfil sossegado de professor mudava radicalmente quando o gorducho de voz aguda estridente tinha a oportunidade de falar de suas paixões na rádio: o rock 'n' roll e os Beatles. Apesar da conhecida timidez, com um microfone nas mãos, Newton se transformava no multimídia Big Boy, que atuava como DJ, jornalista, radialista e VJ.

Antes do sucesso do quadro no *Jornal Hoje* da TV Globo, que o popularizou de vez, Big Boy ganhou fãs com o programa *Ritmo de Boate*, da rádio Mundial. Fã de black music e totalmente apaixonado pelos Beatles, Big Boy era ouvido de ponta a ponta no país.

"Eu adorava o Big Boy e aquele jeito bonachão. Fiz amizade também com a esposa dele, e a gente jantava junto toda vez que ele vinha a São Paulo; era um ritual", relembra Sonia. Na Excelsior, Sonia produzia o programa *Beatles Again*, apresentado por Big Boy entre 1975 e 1977. Por causa do programa, Big Boy vinha quinzenalmente a São Paulo.

Sonia foi uma das últimas pessoas a ver Big Boy com vida. "Numa noite de março de 1977, ele gravou sua parte do programa e foi para o Hotel Lorde, onde sempre se hospedava, para tomar banho. Eu e o Antonio Celso ficamos de passar no hotel, que ficava em frente à Excelsior, para jantarmos. Ligamos para o quarto e nada", lembra. A polícia foi chamada para entrar no quarto e Sonia e Celso vieram logo atrás. "Vimos ele morto sobre a cama, com a mão esticada, tentando pegar a bombinha de asma.

Foi chato demais", lembra a DJ. "Ele foi único, inovador. Era um João Gordo que não falava palavrão", compara Sonia.

Big Boy tinha um estilo único mesmo. Em seu quadro no *Jornal Hoje* ele jogava galinhas pra cima enquanto falava sobre música e apresentava videoclipes, sempre de um jeito tresloucado. Embora fosse chamado de disc-jóquei, ele não era um ás nas mixagens. Foi muito mais um *selector*, ou seja, *um descobridor de ótimas músicas* do que um DJ, que normalmente, além de selecionar, é alguém que as manipula ou modifica tecnicamente.

Big Boy fazia o tipo compulsivo. Tanto por discos quanto por *Sem Parar*, um chocolatinho tipo M&M's que ele comia o dia inteiro. Durante o dia, como professor de Geografia, era um cara tímido que em nada lembrava o locutor da Mundial e da Excelsior, muito menos o DJ à frente do lendário Baile da Cueca. Big Boy ficava no comando da animação da galera e na seleção das músicas, enquanto a execução das faixas, além dos efeitos sofisticados inseridos entre as músicas, ficava por conta de seu técnico de som, o Doktor Sylvana.

Com tanta mídia ao seu alcance, Big Boy não demorou a mergulhar no mercado fonográfico. Lançou diversas coletâneas, que reproduziam o som de seus bailes amalucados. No lugar de viradas, frases gritadas por ele mesmo, como: "Hello, crazy people, aqui fala Big Boy. Vamos ver como será a explosão da próxima cueca sonora!". Tudo muito alto e estridente.

Em 2007, surgiu no YouTube um documentário emocionante sobre a vida de Big Boy. Dividido em duas partes, *The Big Boy Show* mostra em cerca de 20 minutos cenas do próprio DJ na TV, além de depoimentos de amigos e ex-colegas. Uma pérola.

Big Boy também é lembrado pelo histórico Baile da Pesada que fazia no Canecão, no Rio, com outra lenda carioca da fase pré-funk, o DJ Ademir Lemos. O momento alto do baile acontecia quando os dois faziam um back-to-back, revezando-se no mesmo par de pickups a cada troca de música.

Com o Baile da Pesada, Ademir e Big Boy viajaram por várias cidades do país, somando mais de 200 apresentações. Sem saber, fizeram a primeira turnê nacional só de DJs. Big Boy se foi e deixou uma lacuna enorme a ser preenchida. Sagaz, Antonio Celso convidaria outro DJ com um "parafuso a menos" para continuar na trilha de Big Boy, o argentino Santiago Malnati, que fez história com o personagem Mister Sam e seu eterno sotaque portenho.

Feliz da vida é pouco: Sonia trabalhando na discoteca da Excelsior

A MÃE BRASUCA DE BOHEMIAN RHAPSODY

Em 1973, o amigo Hélio Costa Manso, o cantor conhecido como Steve Maclean, trabalhava como produtor na RGE Fermata, empresa em que mais adiante Sonia também trabalharia como divulgadora. A "Soniaplasta" conquistava nesse período cada vez mais independência e espaço nas reuniões da Excelsior. Como produtor da RGE, Hélio recebia os maiores sucessos internacionais e os repassava para a amiga de infância.

Naquele ano de 1973, o compacto *A Night at the Opera,* de uma banda ainda pouco conhecida no Brasil chamada Queen, chegou às mãos de Hélio. "O grupo do vocalista Freddie Mercury estava fazendo sucesso com a canção "Bicycle Race", se não me engano. Eu ouvi a faixa "Bohemian Rhapsody" e a achei atraente em cada detalhe: vocais operísticos, guitarra, dinâmica da banda etc. Eu e a Sonia sempre mostramos descobertas musicais um para o outro. Eu levei aquela música cheia de vozes pra ela ouvir e, claro, Sonia ficou totalmente enlouquecida. 'Nossa! É rock, é ópera, é suave, é agitada, tudo numa única música', ela ficou falando, abismada. Já no dia seguinte, Sonia tocou "Bohemian Rhapsody" na rádio. Pelo que ela me contou, o Antonio Celso deu um pito nela por ter colocado aquela música tão longa e diferentona. Provavelmente ela foi a primeira a tocar a música no Brasil. Ainda bem que caiu nas mãos mais abusadas que uma rádio do Brasil já teve", testemunha o amigo.

CAPÍTULO 9

OS GURUS

Com as famosas calças bufantes
feitas por Lucinha

"Cheguei na casa, na Vila Mariana, entrei no quarto e levei um choque. Apenas um colchãozinho no chão, uma parede milimetricamente arrumada com pôsteres do Gilberto Gil, Arnaldo Baptista, Caetano e Rita Lee. Havia também caixotes pintados de preto que formavam um altar e um incenso queimando a todo vapor. Aquilo me enfeitiçou completamente. Foi meu primeiro contato com o lado místico."

Sonia Abreu descreve com emoção e riqueza de detalhes o segundo encontro com Lucinha Barbosa, na casa alugada em que a amiga morava. Depois de um período conturbado com Chiquinho, Sonia saiu do apartamento em Pinheiros que a família lhe havia dado como presente de casamento e foi morar com a mãe, na Alameda Franca. Na verdade, era um retorno ao grande apartamento da Alameda Franca, onde Sonia e dona Aduzinda já haviam morado. Pouco tempo depois, a mãe voltou para a casa da Rua Antônio Bento com a avó de Sonia, Domingas Saraiva. Morando sozinha num espaçoso imóvel, as antenas de Sonia estavam ligadas para novos encontros.

"Que energia era aquela? Eu estava dentro do estúdio, um lugar frio e fechado, onde não dá para ver quem passa do lado de fora. Senti algo muito diferente naquele dia de gravação. Sempre fui intuitiva e, de repente, percebi que passaram pessoas no corredor que emanavam uma energia diferente. Num corredor por onde passavam Chacrinha, Silvio Santos e tantos outros, eu nunca tinha sentido nada igual. Quem poderia ser? Saí do estúdio e vi uma menina toda descolada junto de um cara um pouco mais velho, já de cabelo branco. Eram Lucinha e Jaques. Eles estavam indo para a discoteca da Excelsior. Fui atrás, porque queria conhecê-los", lembra.

O carioca Jaques Gersgorin estava para ser contratado como um dos novos radialistas da Excelsior. Seu programa *Kaleidoscópio*, que estreou em 1974 nas madrugadas da rádio América AM e foi ao ar pela Excelsior em 1977 e 1978, acabou lhe rendendo o novo sobrenome. Jacques Kaleidoscópio foi um dos primeiros disc-jóqueis brasileiros a assumir uma estética abertamente jovem e rock 'n' roll depois de Big Boy. Seus programas apresentavam rock alternativo, e ele ganhou destaque na chamada "era do LP". Ele dava uma banana para as paradas de sucesso e tocava álbuns inteiros. Jaques mudou-se para São Paulo em 1968 a convite de Silvio Santos, um amigo a quem ele "vendia ideias". O futuro patrão do SBT trocava figurinhas com Jaques sobre os rumos dos programas radiofônicos.

Lucinha Barbosa vivia de fazer moda, costurava e vendia calças de odalisca que faziam muito sucesso entre os artistas mais prafrentex. Seu sonho era conhecer um cantor por quem tinha verdadeira paixão: Arnaldo Baptista, dos Mutantes.

Jaques e Lucinha se conheceram em 1974, na Tenda do Calvário, pico muito louco do rock underground paulistano que ficava na Rua Lisboa, perto da Praça Benedito Calixto, zona oeste de São Paulo.

"Lucinha era amiga dos roqueiros, e a gente se aproximou. Ela sempre me trazia contatos de bandas para participar do meu programa na rádio", lembra Jaques.

Depois do primeiro papo na Excelsior, Sonia se aproximou da dupla e virou uma das maiores divulgadoras das calças de Lucinha. Não demorou muito para que a DJ chamasse os dois para morar em seu apartamento. Lucinha e Jaques toparam no ato. Apesar do astral da antiga casa, com aquela decoração riponga que desbundou Sonia, Jaques e Lucinha já estavam à procura de outra morada, já que rachavam o cafofo paz e amor com muita gente.

A moça, até então praticamente virgem de THC, conheceu o paraíso do barato total quando Jaques apresentou a ela os "baseados dilatadores da percepção". Ele ainda mostrou à garota dos Jardins que o rock era um estilo de vida vitalício, que tinha vindo mesmo para ficar. Mais do que amigos, Lucinha e Jaques se tornaram seus gurus.

"Lá na Excelsior tocava Clara Nunes, Barry Manilow, Peter Skellern. Aí eu ouvi "Shine on You Crazy Diamond", do Pink Floyd, fumei um e abriu a minha vida. Dilatou de um jeito... Naquele momento acabou a Globo pra mim. Eu queria ir além, fugir da caretice e abrir as portas da percepção", conta Sonia.

A verdade é que ela já havia experimentado a brisa do baseado antes com Chiquinho. E rock, bom, disso Sonia já manjava bastante. Mas com os novos amigos tudo parecia novidade. Jaques lhe ensinou que a *Cannabis* era capaz de aumentar a criatividade e contou em detalhes como os álbuns de rock eram feitos, em verdadeiras aulas nos intermináveis papos no apartamento.

Além da maconha, Sonia também conheceu mescalina e LSD. Uma de suas "viagens evoluídas" rolou em Embu, na casa de Antonio Carlos Pereira, o My God, produtor e colaborador da Rádio América que trazia notícias culturais e sociais do lado mais alternativo da noite paulistana. Acompanhada por Jaques e Lucinha, além de uma turma de roqueiros hippies, Sonia afirma que teria tomado impressionantes 232 LSDs ao longo desse período, de prazo indeterminado, que passou em Embu. "Até o movimento dos germes eu conseguia ver depois disso", conta.

Lucinha era muito mística, e isso também encantava Sonia. A amiga funcionava como uma espécie de tutora para que ela não ficasse deslocada na presença dos roqueiros – havia uma profusão deles agora frequentando seu apartamento. Se na sua rotina diária de trabalho, na Excelsior, Sonia era considerada a garota mais descolada do planeta, na presença dos novos frequentadores de sua casa ela se transformava num ser totalmente acanhado e introspectivo, que só sentia segurança sob os direcionamentos de Lucinha.

O amplo e bem decorado apartamento não tinha nada de hippie. De mais subversivo na decoração só havia quadros psicodélicos pintados por Antonio Peticov, além de uma pirâmide desenhada por ele na parede do quarto de Sonia e, claro, uma especialíssima estante de discos, também criada por Peticov.

Volta e meia, outro hóspede ilustre aparecia para pernoitar: o produtor musical Pena Schmidt. "Em 1978, voltei de uma viagem a Londres e fui morar num pequeno hotel na Bela Vista. A turma da Sonia respirava música, shows, rádio, e a gente era uma grande família, mesmo trabalhando em atividades diferentes. Aceitei o convite de sair do hotel e passar um tempo no sofá do apartamento. Sonia era

SONIA ABREU O BARATO DAS DISCOTECAS

As palmas continuam. Royce Royce e seu novo "Do Your Dance" só é, vamos agitar...

Um som que tá agitando novamente as neons coloridas das disco-pistas e que, pode crê, é muita areia pro meu caminhãozinho, é o som de Ike & Tina Ivrner, "Baby get it on", alucinante...

Ouriço nas pistas: a cantora americana Cher, superstar do jet-set rockeiro, lança novos passos na boate Ipanema, em Nova York.

ESTA É A LETRA QUENTE DO MÊS

EXODUS
de Bob Marley

Exodus, movement of jah people/ Exodus, movement of jah people/ men and people will fight ya down/ when ya see jah light/ let me tell you, if you're not wrong/ everything is allright/ walk, through the roads of creation we're the generation/ who trod thru great tribulation/ Exodus, movement of jah people/ Exodus, movement of jah people/ open your eyes and look within/ are you satisfied with the life/ you're living/ we know where we're going/ we know where we're from/ we're leaving babylon/ into out father's land/ Exodus, movement of jah people/ Exodus, movement of jah people/ Exodus, Exodus, Exodus/ Exodus, Exodus, Exodus/ movement of jah people/ movement of jah people/ movement of jah people/ movement of jah people/ move, move, move, movement of jah people/ jah come to breakdown downpression, rule equality/ wipe away transgression/ and set the captives free/ Exodus, movement of jah people/ Exodus, movement of jah people

Mas, aqui da Pop, eu até posso levar um plá com este meu universo, numas de todos ao mesmo tempo saber o que vai por aí... iê iê, a felicidade bateu, ah, saquei que vocês são geniais, a sintonia tá ligada numa só, na de Giórgio e a Premiata Forneria Marconi. É isso aí, som é um só, e nessas vocês sacam pra valer. Vamos nessa. O badalo tal, e é só chegar e agitar. O som é por conta, e a iluminação muito louca por conta do "aladim"!
Adoro vocês!
Até, até...

PARADA POP/PAPAGAIO

1. MAGIC LOVE/ CAN'T YOU FEEL IT
Michelle
2. DON'T STOP/ SUPERDANCE
Bus Connection
3. THE BULL
Mike Theodore Orchestra
4. GIRL DON'T MAKE ME WAIT
Pattie Brooks
5. STRANGERS IN THE PARADISE
Isaac Hayes
6. COCONUT RAIN
Silvetti
7. FUNK FUNK
André Mingardi Circus
8. TUDO BEM... TUDO BOM... OU ATÉ MESMO???/FONTE DA JUVENTUDE/PERIGOSA
Frenéticas
9. WATCH OUT THE BOOGIE MAN
Track

Reprodução de coluna da revista *Pop* de 1977

revista *Pop*, da editora Abril. Sonia chamou a atenção da redação graças ao sucesso que estava fazendo como discotecária na Papagaio Disco Club.

No início, a publicação mensal se chamava *Geração Pop*. A revista teve 82 edições – de novembro de 1972 a agosto de 1979. O público interessado em saber as novidades dos astros estrangeiros finalmente tinha uma revista brasileira que, além de música, falava de viagem, skate, surfe e temas polêmicos para a época, como virgindade. O tom era um tanto superficial e visava atingir um público de classe média. Ainda que não tivesse a profundidade das revistas gringas, a *Pop* tinha excelentes jornalistas e colaboradores, que traziam tudo sobre a efervescência de comportamento e música que rolava na época com seus textos leves.

O staff da revista tinha Caco Barcellos, Ezequiel Neves, Leon Cakoff, Pink Wainer, Okky de Souza, Ana Maria Baiana, Maurício Valladares, José Emilio Rondeau e muitos nomes marcantes do jornalismo brasileiro, além de Sonia.

"A minha coluna era para ser de disco music, mas eu escrevia como se estivesse tocando na matinê da Papagaio, ou seja, rock 'n' roll, bicho!", conta a DJ. "Era difícil, viu? Eu comecei a faculdade de Jornalismo na Universidade Anhembi Morumbi, mas faltava muito às aulas por causa das noites na discoteca. Fiz mais porque minha mãe insistiu, mas, no fim, nem terminei. Eu escrevo errado até hoje. Sempre me confundo se *jeito* se escreve 'g' ou com 'j'. Imagine como era escrever uma coluna na revista mais descolada da época. Mas eu entrava de cabeça e me virava em tudo que estava dentro do contexto musical", conta a discotecária que tinha um texto gostoso de ler, cheio de gírias e com informação precisa, antecipando até uma mania tão corriqueira nos tempos de internet, o emoticon.

> • Uma transa que está pintando agora aqui no Brasil são os pubs, uns barzinhos iguais àqueles da Inglaterra, ótimos para levar um papo e curtir todas, enquanto se ouve um som • Falando nisso, um som que sempre faz o pessoal se ligar é "Baker Street", de Gerry Rafferty. Pode crer, tem um

solo de trompete que vale por toda a música, que, aliás, está muito bem colocada na Cash-Box e em vários corações... • Outra coisa incrível é a transação do Devo. Você se lembra de "Satisfaction", dos Stones? Pois é, imagine só que agora foi regravada por esse grupo, mas noutras completamente. Guardem bem o nome dele: Devo. O disco foi produzido por Brian Eno, que já tocou no Roxy Music e hoje é um dos produtores mais respeitados da Inglaterra. Foi em 1977 que ele produziu o som do Devo. Só mesmo ouvindo você vai sacar a piração do som que o grupo faz, um caminho novo dentro dessa transação de som para se dançar • Também para dançar, um som que me deixou piradinha foi o de Ian Dury. Ele brincou com a minha cabeça e de todos que ouviram seu som. Contemporâneo de Pink Floyd e Led Zeppelin, Ian Dury lança um disco realmente envolvente. Coisa rara, pode crer. Punk ou não punk, new wave ou não, o negócio é o seguinte: Ian Dury é um caso muito sério, muito ritmo e muita garra. *New Boots and Panties* é o nome do disco. As pessoas que gostam de dançar não podem, de jeito nenhum, deixar de curtir esse som. A terceira faixa do lado dois, "Blockheads", mexeu demais com a minha cabeça. • E, agora, para quem curte um cineminha: Robert Stigwood, um dos produtores do filme ópera-rock *Tommy*, lança no mercado, ainda este ano, duas bombas: o *Saturday Night Fever*, estrelado por John Travolta e musicado pelo Bee Gees, e o *Sgt. Pepper's Lonely Hearts Club Band*, com Peter Frampton e trilha dos Beatles. O disco do Bee Gees, com a trilha sonora do filme, já se encontra no pedaço. Quanto à trilha de *Sgt. Peppers*, pouco se sabe ainda. Pelo menos por aqui. Então, fique sabendo!

Coluna da Sonia Abreu na revista Pop, *editora Abril, julho de 1978*

CAPÍTULO 10

O ROBÔ ROMÂNTICO DA FUNILARIA E A IOGUE

Com a amiga e parceira de "Automatic Lover",
Regina Shakti, em 1990

Quando conheceu a Sonia, Lucinha já era uma moça bem relacionada no meio artístico riponga, e uma das máximas entre a turma dos bichos--grilos era seguir uma alimentação alternativa – a dieta mais comum era a macrobiótica.

A influência da amiga fez com que Sonia entrasse de cabeça nesse *lifestyle*, com direito ainda a maconha, além da tríade paz, amor e rock 'n' roll. "Eu fiquei uma débil mental, na verdade. Quando saí da Globo e entrei na RGE Fermata, a Lucinha virou quase minha babá. Ela ia todos os dias comigo para o trabalho porque eu não conseguia fazer mais nada sem ela", confessa a DJ.

A essa altura, Sonia procurava uma mulher bonita e desenvolta para realizar um trabalho na gravadora. Lucinha apresentou a ela a professora de ioga Regina Shakti. Nascida em Monte Aprazível, Minas Gerais, Regina tinha tudo que Sonia buscava: beleza magnética aliada a alto poder de sedução.

Regina se revelaria valiosíssima no desenvolvimento do novo trabalho de Sonia na RGE Fermata. Como já acontecia em seus empregos anteriores, Sonia entrou para a história da empresa, que surgiu da união de duas marcas.

Fundada em 1954, a Editora e Importadora Fermata do Brasil foi criada pelo polonês Enrique Lebendiger, um dos pioneiros na edição de música na América Latina, especialmente na Argentina, com o intuito de divulgar músicas da Europa e dos Estados Unidos no Brasil.

Já a RGE (Rádio Gravações Especializadas) foi fundada em 1947 como um estúdio de gravação de *jingles*. Em 1954, fez história ao lançar um compacto com o grupo Os Titulares do Ritmo interpretando a canção "Campeão dos Campeões", de Lauro D'Ávila, em comemoração ao título de campeão paulista do IV Centenário conquistado pelo Corinthians naquele ano. A música agradou tanto que se tornou o hino oficial do timão, sob a regência de Sílvio Mazzuca. O primeiro sucesso comercial da RGE veio quando Maysa Matarazzo, então uma ilustre desconhecida, gravou seu primeiro álbum. A partir de então, alguns dos principais nomes da MPB lançaram álbuns de sucesso pela gravadora.

O processo de fusão das duas empresas teve início em 1971 e só foi finalizado em 1980, quando finalmente nasceu a Discos RGE Fermata Ltda.

Sonia recebeu o convite para trabalhar na RGE Fermata graças à fama alcançada nos trabalhos na Excelsior, Papagaio e na revista *Pop*. A DJ nem sempre sabia o que queria, mas sabia exatamente o que não queria. Naquele momento ela não tinha interesse em ser apenas uma divulgadora, função que o ex-marido exercia na Som Livre e o amigo Hélio Costa Manso na RGE. Ela queria dar um passo além.

Com a experiência de quem havia garfado um emprego na Excelsior usando apenas lábia e conhecimento musical, Sonia tinha um desafio maior pela frente: convencer a nova empresa de que ela era a pessoa certa para produzir mega-hits não apenas para o rádio, mas também para a TV.

Aí veio a segunda epifania da discotecária. Mais uma vez ela teve a iluminação que precisava, na hora em que precisava. Coisas inexplicáveis na vida de Sonia. O ano era 1978 e ela aceitou o convite da RGE Fermata.

"Mais uma vez me colocaram numa sala cheia de discos. Eu manjava tudo, mas dessa vez a missão não era tão simples: eu precisava descobrir, em meio àquele catálogo gigante, alguma explosão sonora que arrebatasse os corações, mentes, ouvidos e olhos da moçada", descreve Sonia.

Não bastava ser apenas uma boa música, e Sonia sabia disso. A missão naquele momento era fazer uma música estourar a ponto de invadir os televisores dos lares brasileiros. A essa altura, o rádio só funcionava à base de jabá. "Como eu não queria entrar nesse clube, eu convenci o presidente da Fermata a lançar o novo sucesso pela televisão", lembra a DJ.

"Eu fiquei um tempão ali. Puxava da memória tudo que eu tinha aprendido com o Chicão da Cave, com o Jaques Kaleidoscópio, com meu pai, com os radialistas da Excelsior, comigo mesma nas pesquisas da Papagaio e com as festas. Mas racionalmente não vinha nenhuma ideia que realmente fosse bombástica. Eu ainda estava chateada por não estar mais na Globo e queria muito que essa nova fase desse certo. Aí fechei os olhos e pensei: 'Jesus, me ajude, Jesus me ajude, Jesus, me ajude'. Respirei fundo e veio uma calma. Fiz tantas coisas na intuição que deram certo, agora teria que dar também. Aí eu entrei na sala, andei até um corredor como se estivesse sendo teleguiada. Parei de frente para uma estante encostada na parede e puxei um compacto que tinha na capa uma mulher lindíssima e um robô. Aquilo era do caralho! Um ser feminino vindo do espaço, vestido de prateado e um robozinho maluquete acompanhando. Putz, meu, na hora eu pensei: 'Parece o Giorgio Moroder. Já sei como isso pode dar um caldo aqui'", relembra, eufórica, sua bem-sucedida "pesca".

Mais uma vez, por obra de uma intuição autêntica, Sonia pensou numa estratégia de supetão e foi falar com Enrique Lebendiger, o dono da gravadora:

"Senhor Enrique, tenho uma ideia para divulgar uma música a-rra-sa-do-raaaa. Podemos criar uma paródia usando uma bailarina e um robô! Mas, ó, só vai funcionar se a gente realmente lançar na TV".

Lebendiger achou estranha a proposta. O disco nas mãos de Sonia era o álbum *Cosmic Curves* (1978), da cantora inglesa Dee D. Jackson. Sonia explicou a Lebendiger que a canção "Automatic Lover" estava bombando em todo o mundo. A música falava sobre um robô futurista que se apaixona por uma garota de outro planeta. Além da intuição, Sonia puxou em seu HD interno as informações que tinha sobre a faixa nas revistas *Billboard* e *Cash Box* para embasar seu argumento.

"Automatic Lover" havia chegado ao quarto lugar nas paradas do Reino Unido e ao primeiríssimo posto na Argentina, Alemanha, Espanha, França, Itália, Japão e Turquia. Mesmo assim, no Brasil a música era totalmente desconhecida.

A cantora inglesa Dee D. Jackson era um espetáculo de beleza exótica e sexy, vestida com roupas colantes de inspiração futurista. A contracapa da edição nacional do LP *Cosmic Curves* explicava a ligação entre as músicas do álbum conceitual:

> *Estamos no século XXI. Uma jovem desiludida por seu amante automático (Automatic Lover) decide deixar a Terra num voo incandescente (Red Flight) e se perder no espaço em busca de um amor sobre o qual lhe haviam contado. Ela alcança a galáxia do amor (Galaxy of Love) e é lá que encontra o que tanto havia procurado. O homem meteoro (Meteor Man) a deixa tão deslumbrada que ela se sente em estado total de torpor. Envolvida por tal relacionamento, ela se acredita a própria Vênus, a Deusa do Amor (Venus, The Godess of Love). Porém, neste universo, amar é proibido e a polícia galáctica (Galaxy Police) a leva para a prisão, onde aguardará seu julgamento. E quando aparece diante do júri, sua única defesa é afirmar que seu encantamento provinha de suas curvas cósmicas (Cosmic Curves). Mas os jurados, inflexíveis, obrigam-na a deixar o planeta e viver para sempre nas Cavernas Negras. E, à medida que vai se perdendo pelo espaço (Falling into Space), ela continua a defender a si própria e ao direito de amar as pessoas de todo o universo.*

Para materializar essa brisa toda da navegadora do espaço e seu fiel robô, Sonia se lembrou da dica dada por Lucinha sobre a professora de ioga de beleza deslumbrante. Se Regina Shakti aceitasse o convite, Sonia teria uma bailarina / dubladora perfeita (e até um pouco parecida com a Dee D. Jackson original) para concretizar a paródia de "Automatic Lover".

"Descolei tudo que o robô precisava numa funilaria mecânica. Tinha certeza de que nós iríamos acontecer. Lebendiger me achou abusada e pagou pra ver", lembra Sonia. E Lebendiger realmente viu. Para que a performance acontecesse, era preciso, além da bailarina dubladora, algum figurante para vestir a pesada roupa de robô.

"Sonia criou toda a performance. Quando ela vinha vestida com aquela roupa indiana, incenso, a rádio ambulante, todo aquele contexto sempre me convencia. Eu fiz tudo sob a liderança dela. Se não tivesse ninguém pra entrar na roupa de robô, ela mesma entrava e sempre naquele alto-astral, sabe?", recorda Regina. "O alto-astral eu conseguia usando a seguinte fórmula: sempre fumava um do bom", relembra Sonia gargalhando.

Apesar da ditadura militar e de toda a repressão da época, o Brasil guardava traços de um país ingênuo. Era como um adolescente grandalhão louco pra se divertir com a prima gringa – ainda que a gringa fosse do interior de Minas Gerais. Sacou? Regina começou a se apresentar nos programas de TV em todo o Brasil (com destaque para *O Cassino do Chacrinha* e *A Discoteca do Carlos Imperial*) como se fosse a própria Dee D. Jackson ao lado do robô, às vezes interpretado pelo namorado, às vezes por Sonia. Para evitar problemas com direitos autorais, Regina Shakti se apresentava com o nome ligeiramente alterado para D. Dee Jackson em vez de Dee D. Jackson. Ninguém notou a diferença.

"Se por um lado eu influenciei a Sonia com a onda de não comer carne, tirar o sapato pra entrar em casa, praticar ioga, ela me passou o alento e me ensinou que podemos ter alegria de forma organizada. Realmente foi uma loucura. Eu aparecia no *Fantástico*, nas revistas, mas nunca rolavam drogas para me atrapalhar. Sonia era autêntica, refinada e não permitia que eu caísse no esquemão de degradação", diz Regina, eternamente grata pela conexão com Sonia.

"A Regina Shakti tinha um corpo escultural graças à ioga, mas, além disso, ela tinha sabedoria e transcendia sem apelar para esse lado sexual. As pessoas ficavam apaixonadas por Regina também por esse lado místico que ela emanava", lembra a DJ. "Amizade verdadeira é completa, e eu tenho isso com a Regina. Todas as pessoas têm algum defeito, mas quando a gente consegue crescer junto de um amigo, somando com a energia da outra pessoa, aí nós temos realmente algo especial. São muitas histórias legais. Lembro que nós duas fomos fazer um show no estádio do Morumbi lotado, no intervalo de um jogo Corinthians e São Paulo, e foi incrível. Nesse dia, era eu que estava vestida de robô", conta. "Outra vez fomos para o Rio de Janeiro de Galaxy pra fazer o programa do Carlos Imperial. O namorado da Regina, que era dono do bar Chez Bernard, era quem estava dirigindo. Tomamos ácido em São Paulo e fomos 'viajando' daqui até lá. Era uma missão difícil para o motorista, mas pelo menos não era eu que estava dirigindo", brinca Sonia.

Em 1978, "Automatic Lover" foi incluída na trilha sonora da novela *Dancin' Days* e, no ano seguinte, o álbum de Dee D. Jackson recebeu o Disco de Ouro no Brasil. "Cada apresentação como D. Dee Jackson eu acreditava que seria a última, mas sempre tinha mais uma e mais uma. A gente se divertia, falava de vegetarianismo. Eu nunca parei com as aulas de ioga, inclusive dei aulas à Sonia. Mas nessa brincadeira eu fiquei cinco anos fazendo a promoção de "Automatic Lover". A experiência foi incrível. Ganhei muito dinheiro e, graças a esse trabalho, pude viajar por várias escolas de ioga ao redor do mundo depois", finaliza Regina Shakti. Atualmente, a verdadeira Dee D. vive na Itália, onde comanda uma gravadora própria chamada DDE Records.

Regina Shakti se tornou uma das maiores especialistas em ioga e quirologia do Brasil. Ela chegou a se lançar como cantora, gravando o compacto *Ishvara Hare*, mas, sem sucesso, escolheu se dedicar exclusivamente à espiritualidade e à ioga.

CAPÍTULO 11

PRESOS DO DOPS: HÁ ALGO DE PODRE NO REINO DE PAZ E AMOR

Sonia sempre chique (1973)

Tudo pareciam flores naquele agitado ano de 1979, com Sonia e Regina Shakti brilhando Brasil afora com a paródia de Dee D. Jackson. Mas a verdade é que, no fundo, apesar de proteger a amiga Regina de qualquer contato com as drogas, Sonia estava mergulhada no uso de LSD e maconha.

Os pais de Sonia já não tinham mais diálogo entre eles, mas não deixavam de zelar pela filha única, que tinha se transformado de repente em outra pessoa. Trocou os sapatos Spinelli por alpargatas, o cabelo ganhou um permanente, as calças eram de odalisca. A patricinha dos Jardins já não era mais aquela, tinha se transformado num personagem moderno, que assimilava traços da androginia de David Bowie com toques suaves de cultura hippie tropical.

Apesar de viver praticamente numa comunidade, ela se sentia só. Quando criança e na adolescência, Sonia odiava os sábados e domingos, mas adorava a segunda-feira porque sabia que encontraria os colegas da escola. Mais tarde, trabalhando na noite, os sábados e domingos se transformaram em dias bons porque estava cercada pela multidão, no balanço das festas.

Dr. Abreu, pai de Sonia, se casou novamente em 1975 e teve uma filha chamada Renata, meia-irmã de Sonia. Já a mãe, dona Aduzinda, também tinha um novo namorado, mas gastava muito do seu tempo especulando sobre a nova turma de Sonia e as mudanças de comportamento da filha.

Se no período da adolescência ela mostrava uma confiança de mulher madura, agora, perto de completar 28 anos e do tal "retorno de Saturno", sobravam inseguranças em sua cabeça ainda fervilhante de ideias. Até aqui, sua vida tinha sido uma sequência de sucessos musicais: ela cantou os primeiros covers do país, discotecou na noite, das boates mais underground até as da *high society*, escreveu colunas de música prafrentex na revista mais descolada da época, criou o maior sucesso performático da disco music brasileira.

Apesar disso tudo, ela se perguntava o que afinal estava tão desajustado em sua vida a ponto de depender da amiga Lucinha para quase tudo, das decisões que tomava na rotina de casa até questões de trabalho na RGE Fermata.

No coreto da Rua Augusta com o DJ Leopoldo Rei, Lucinha, Arnaldo Baptista, a bailarina e atriz Martha Merllinguer e a fotógrafa Grace Lagoa

Enquanto isso, Lucinha Barbosa curtia um amor platônico. Em 1975, ela tinha se envolvido brevemente com o ídolo, Arnaldo Baptista. Em tempos de amor livre, a relação não havia passado de uma amizade colorida para Arnaldo. Lucinha ficou perdidamente apaixonada pelo rebelde compositor, que havia lançado sua obra-prima solo um ano antes, o álbum *Loki*. No disco, a força dos Mutantes se fez presente no arranjo de orquestra de Rogério Duprat, além da dupla Liminha e Dinho, no baixo e na bateria, respectivamente, e da ex-Mutante Rita Lee no backing vocal de "Vou Me Afundar na Lingerie" e "Não Estou Nem Aí". Nessa época, Arnaldo, cada vez mais deprimido pelo fim da relação com Rita Lee e pelo uso de LSD, curtia a companhia do trio Sonia, Jaques e Lucinha. Vez ou outra pintava nos programas de rádio do Jaques. Lucinha começava a mergulhar nesse amor platônico quase como uma obsessão.

Mas algo de podre estava para acontecer no reino de paz e amor da Alameda Franca. Numa manhã qualquer de fevereiro, naquele ano de 1979, Lucinha foi atender a porta e levou um susto quando deu de cara com investigadores da polícia, que foram entrando sem cerimônia. No período de chumbo da ditadura militar, pouco importavam mandados ou reais motivos para que se procedesse com uma invasão domiciliar. Lucinha correu até o quarto de Sonia e, com os olhos esbugalhados, esfregou os dedos na camiseta e falou baixinho:

– Sujou! Os "omi" tão aqui.

Sonia não entendeu nada. Por que Lucinha estava assim tão agitada? Ainda sonolenta e de camisola, Sonia abriu a porta e deu de cara com policiais revirando banheiro, cozinha e prestes a entrarem em seu quarto.

– Jogou fora?

– O que, Lucinha?

– Os bagulhos.

– O quê? Que brisa é essa, Lu?

– Crendeuspai, mulher! Santa ingenuidade. Quer que eu grite?

Logo viria o aviso do agente.

– Aê, doutor! Achamos.

Os homens da lei acharam sementes de cânhamo e maconha no quarto de Sonia, ácido e um papelote de cocaína no quarto do Jaques, que também abrigava o produtor Pena Schmidt naquele dia, e mais um ácido dentro do livro *Bhagavad Gita* (a Bíblia dos indianos) da Lucinha. A turma toda, além de Vera, irmã de Lucinha, foi convidada a entrar num Opalão para prestar depoimento no Departamento de Ordem Política e Social (Dops). "Teve uma denúncia anônima, e nós todos rodamos", lembra Jaques. Quando chegaram ao Dops, a situação se complicou. Não adiantava falar em quantidade ou tipos de drogas encontradas. Seria difícil eles se livrarem de passar pelo menos uma noite em cana. Sem saber a quem mais recorrer, Sonia ligou para a mãe, que ficou chocada, claro, mas faria de tudo para livrar a filha. Bem relacionada, dona Aduzinda entrou em contato com um amigo da família, o assessor parlamentar Poyares, chefe da Casa Civil, o típico "genro dos sonhos", que a família tinha esperanças de empurrar, como bom partido que era, para Sonia. Ainda que a DJ não desse a menor bola ao tal assessor, um pedido da família Abreu era uma ordem, e o rapaz livrou a trupe de passar uma noite no xadrez.

No dia seguinte, dona Aduzinda chegou cuspindo fogo ao apartamento da filha. A mãe torcia o nariz para a nova turma de Sonia e ia menos ainda com a cara de Lucinha. Aos berros, dona Aduzinda cobrava uma mudança no comportamento estranho que a filha havia incorporado nos últimos tempos e não poupou adjetivos aos moradores do apê. Sonia tentou acalmá-la, mas em vão. Até que, num momento mais acalorado da discussão, Sonia perdeu o controle e peitou a mãe, falando a ela os maiores impropérios e quase saindo no tapa.

A casa ficou em silêncio.

Todos estavam perplexos com o que acabara de acontecer, especialmente a Sonia. Dona Aduzinda saiu do apartamento aos prantos e deixou para trás uma filha arrependida de ter levantado a mão para alguém que ela amava tanto. Talvez esse tenha sido o episódio crucial para que Sonia entendesse que algo precisava mudar. Um sinal de alerta. Em breve a vida lhe daria a oportunidade de redenção.

CAPÍTULO 12
ONDAS TROPICAIS

Ondas Tropicais no Sesc Pompeia em 1983

Nos instantes finais da década de 1970, um disco voador surgiu na vida de Sonia e soprou-lhe ao ouvido a ideia da rádio ambulante. O ET não entregou na bandeja o nome com que Sonia deveria batizar seu sound system, mas as antenas da DJ, ligadas nas vibrações sonoras do mundo, captaram que sua rádio sem endereço, sem limites, sem preconceito e sem nacionalidade deveria se chamar Ondas Tropicais.

Na linguagem técnica do rádio, onda tropical é um tipo de onda sonora curta. Quanto menor o comprimento da onda, maior será sua frequência, propagando a informação por longas distâncias. A onda tropical é usada na comunicação com aviões, barcos e radiodifusão de longo alcance, comercial ou não. Atingir longas distâncias, alcançar novos ouvintes além-mares, ampliar o envio de informações, era tudo que Sonia buscava atingir com suas pesquisas sonoras.

Na experiência diária na Excelsior e na redação da revista *Pop*, Sonia conquistou uma visão de negócios e marketing. "Não tem essa de surpresa com ela. Na Aeronáutica ensinam os três mandamentos fundamentais para voar na Amazônia: primeiro checar, segundo checar e terceiro checar. Eu sempre me lembro disso para descrever a Sonia. Ela sempre tem um plano A, B, C, D. Se precisar improvisar, pode ter certeza de que ela planejou o improviso. Na rádio, ela sempre tem uma programação e colas para tudo sair dentro do planejado. Essa disciplina e visão aliadas à intuição são o segredo do sucesso de absolutamente tudo que a Sonia se propõe a fazer", explica o amigo jornalista e parceiro de cabines Otávio Rodrigues.

A primeira aventura da rádio ambulante Ondas Tropicais foi uma missão de acalanto e paz para amantes de música, inspirada em uma grande perda que marcou o início da década de 1980.

Na segunda-feira, 8 dezembro de 1980, por volta das 23 horas, John Lennon voltava de um estúdio de gravação com sua mulher, Yoko Ono. Eles finalizavam a gravação da faixa "Walking on Thin Ice" *(Andando em gelo fino*, em tradução livre), música de Yoko. Quando chegou em frente ao prédio, o Edifício Dakota, a apenas alguns passos do Central

Park, em Nova York, Yoko havia acabado de passar pela recepção quando Mark David Chapman, um fanático religioso de 25 anos, começou a disparar tiros mirando as costas do artista mais reverenciado do século XX. Foram cinco tiros. O primeiro deles atingiu a janela do edifício, mas, para infelicidade geral do planeta azul, as quatro balas seguintes, calibre 38, acertaram Lennon em cheio. Aos 40 anos de idade, o músico morreu segurando a fita que havia acabado de gravar. Naquela mesma tarde, Chapman havia pedido um autógrafo a Lennon, na capa do álbum *Double Fantasy*. A letra da última canção gravada por Lennon falava, ironicamente, sobre a imprevisibilidade da vida, de "jogar os dados pra cima" e que, "quando os corações retornam às cinzas, são apenas histórias".

Sonia era apaixonada pelos Beatles, e o repertório da banda sempre esteve presente no setlist da DJ, desde a época em que arriscava vocais nos covers com Hélio Costa Manso. Ela ficou ainda mais fã de Lennon depois que ele se juntou com Yoko Ono, ao contrário de grande parte dos beatlemaníacos, que via em Yoko a personificação do capeta. No disco *Double Fantasy*, de 1980, a dupla dava uma verdadeira aula sobre feminismo, mostrando que a mulher tinha direitos iguais e que o homem, sim, podia ficar em casa cuidando dos filhos sem que sua masculinidade fosse ameaçada.

Em 1982 (a data exata é algo um tanto nebuloso), dois anos após a morte de John Lennon, Sonia reuniu forças e inspiração para botar o bloco, ou melhor, o Fusca na rua. Era uma manhã lindíssima de sábado em São Paulo: ensolarada, céu totalmente azul, ela vestia branco dos pés à cabeça e calçava alpargatas de cetim adamascado.

Do alto do coreto montado em cima da loja Jeans Store na Rua Augusta, esquina com a Alameda Tietê, ela personificou as Ondas Tropicais pela primeira vez. "Para vocês que sobem e descem a Rua Augusta, sobem e descem na vida, o sonho não acabou. O tempo é todo o tempo, e a música é a Bíblia do futuro. Viva John Lennon!".

As palavras messiânicas irromperam do sound system e cortaram a fita inaugural das Ondas Tropicais, revelando uma nova Sonia, a locutora, a mestre de cerimônias, agora não mais a programadora que ficava calada soltando as músicas. Sonia agora tinha voz. E que voz!

Até aquele momento, a Soniaplasta das boates, festas e discotecas havia feito a produção e programação de alguns dos melhores programas da rádio Excelsior: *A Noite É Ceasa; Excelsior Disco Club; Beatles Again; Pediu, Tocou, Ganhou; Flashback*. No entanto, os ouvintes ainda não conheciam aquela voz que pregava que "o sonho não acabou".

Rádio ambulante Ondas Tropicais no coreto da Rua Augusta, no lançamento do disco solo de Arnaldo Baptista em 1980

"Eu morria de medo de falar porque o Antonio Celso dizia que eu tenho língua presa. De fato eu tenho, mas nunca falei *plato*", confessa Sonia, bem-humorada. "A força para falar veio do sentimento pela perda do John Lennon e, no final das contas, naquela fase de renovação, o meu sonho não podia acabar. Não dava pra ter mimimi. E outra: 'Do verbo vem a verba'", contextualiza, usando uma frase do professor Tomio Kikuchi, japonês que trouxe a macrobiótica para o Brasil, filosofia alimentar da qual Sonia é adepta.

A Rua Augusta ficou embalada pelo som de "Imagine", da carreira solo de John Lennon, "Será Que Eu Vou Virar Bolor?", do Arnaldo Baptista, "Amor de Índio", de Beto Guedes, "Hey Boy" (música que fala da Rua Augusta), dos Mutantes, "Influências", do pianista mineiro Marco Antônio Araújo, a climática "Superman", de Laurie Anderson, e a ópera de Nina Hagen, *Naturträne*, seguida de uma gama enorme de sons dos quatro cantos do mundo. De repente, a rua mais movimentada de São Paulo estava bailando ao som de músicas francesas, caribenhas e árabes, além de hits que todo mundo gostava de cantar. Sonia encantou os passantes e trouxe um pouco de alegria para aquele cantinho tão especial da cidade.

Sobre os bastidores do coreto na Augusta, vale dizer que chovia canivete no dia em que Sonia foi bater na loja Jeans Store, na Alameda Lorena, onde ficava o escritório de Raul Sulzbacher. Ela não havia marcado reunião, chegou na cara de pau e pediu para a secretária anunciar sua chegada. A moça entrou na sala do dono da Jeans Store e retornou dizendo que seu chefe não estava naquele momento.

Sonia percebeu que a porta estava entreaberta e disse, bem alto: "Ah, ele não está? Então manda dizer que eu não volto aqui nunca mais!". Raul ouviu a conversa e, se desculpando, pediu que Sonia entrasse em sua sala. "Eu gostaria de pegar o seu coreto emprestado para fazer o som da minha rádio ambulante, Ondas Tropicais. Já tenho estrutura de equipamento e patrocínio. Meu som pode atrair mais pessoas à sua loja. O que você acha?" Raul topou na hora.

A rádio ambulante começou a operar com dois toca-discos Garrard. O restante do equipamento era todo patrocinado pela Gradiente: duas caixas de som de madeira, mixer, potência, cabos e microfones. O fone de ouvido da marca Sony, ela já tinha. A mesa de madeira, que servia de apoio para toda a parafernália, foi desenhada pelo artista plástico Guto Lacaz, com as medidas passadas pelos ETs durante a visão do disco voador, e foi financiada pelo patrocinador, Alternativa Produtos Naturais – que continua funcionando na Rua Fradique Coutinho, agora com o nome Alternativa Casa do Natural. A mesa tinha rodinhas e duas bancadas, uma para os toca-discos e outra, embaixo, para mixer e potência.

Não demorou muito para que o Fusca (Sonia tem uma vaga lembrança de ter comprado o veículo de segunda mão de Arnaldo Baptista) fosse substituído por uma Kombi multicolorida. A nova nave sonora de Sonia passou a levar seu som para outras paragens. Além do coreto da Augusta, entraram no roteiro das Ondas Tropicais a Praça do Pôr do Sol, Bosque do Morumbi, Sesc Pompeia, Parque do Ibirapuera, Cidade Universitária, Simba Safari, cidades do interior paulista, como Bauru, Assis, São Carlos e Campos do Jordão, uma visita ao Guarujá – nessa época a cidade mais hypada do litoral paulista –, além de dois importantíssimos festivais: Águas Claras, em Iacanga, e Festival Internacional de Blues, em Ribeirão Preto.

O esquema era o seguinte: Sonia chegava dirigindo sua Kombi e, junto com seu assistente, Luis Carlos Mateus, o Luisinho, montava a mesa, posicionava as caixas de som e... mas como fazia pra plugar os equipamentos?

"Para entrar nas praças, eu pedia autorização para a Secretaria do Verde ou Subprefeitura Regional. Depois ia à Eletropaulo de Kombi. Nessa época não havia e-mail, tinha que ir aos lugares. Fazia os pedidos, trazia todas as cartas de recomendação. Eu ia uns 15 dias antes, e eles instalavam um ponto de energia pra mim. Puxavam do poste e deixavam uma tomada no dia da apresentação", descreve.

"Fui muitas vezes ver a Sonia se apresentar na Praça do Pôr do Sol, no Alto de Pinheiros. Enquanto a gente curtia aquele pôr do sol maravilhoso, ela montava tudo no meio do gramado. Era superdivertido. Ela estava sempre bem-vestida, estilosa, com cabelo escuro curtinho nessa época", lembra a prima Silvana.

A rádio ambulante ganhou fama e começou a ser procurada por poetas e músicos que queriam divulgar seu trabalho ao público antenado que seguia as Ondas Tropicais de Sonia. Entre as bandas que curtiam o trabalho da DJ, destacam-se os novatos Titãs e Ira!. O setlist seguia eclético: Chopin, Frank Zappa, Walter Franco, Peter Tosh, Manu Dibango, Rita Lee, Philip Glass, Wim Mertens, Afrika Bambaataa, Quincy Jones...

Nos intervalos entre uma música e outra, a radialista promovia interessantíssimos debates sobre Jung, vegetarianismo, preservação do planeta, ioga, Jesus e tudo que ela julgasse de mais legal conectado com world music.

Sonia estava conseguindo se colocar nos eixos da felicidade e da satisfação, até que, em junho de 1986, a Kombi ano 1975 foi estacionada na rua para pernoitar e simplesmente desapareceu no dia seguinte.

"Queria morrer quando roubaram minha perua, mas minha filosofia de vida é toda em cima de otimismo e logo eu sacudi a poeira." Nessa época, Sonia estava fazendo um frila como secretária na galeria de Suzanna Sassoun. Comovida com a perda de Sonia, que estava sem um lar móvel para abrigar sua rádio ambulante, a dona da galeria armou uma exposição coletiva com artistas plásticos brasileiros. Cada um deveria doar uma obra para entrar na mostra. Entre os nomes que participaram da exposição em prol da nova Kombi estavam estrelas das artes, como Guto Lacaz, Antonio Peticov, Claudio Tozzi, Alex Flemming, Jorge Mautner, Ivald Granato e José Roberto Aguilar. Dois meses mais tarde, a verba arrecadada com a venda dos quadros foi convertida numa Kombi seminovinha para a DJ.

Já de posse do novo carango, Sonia recebeu uma ligação da Polícia informando que o gatuno havia se entregado. Arrependido do roubo, devolveu a Kombi. A DJ, feliz da vida, levantou mais uma graninha com a venda do veículo devolvido pelo ladrão benfeitor.

À frente das Ondas Tropicais, Sonia teve ajuda de muita gente, entre marcas e colaboradores, mas pela primeira vez a DJ não era apenas parte de uma engrenagem. Ela era o corpo e a alma da inspiração interplanetária.

"Ela já tinha o patrocínio da Alternativa, loja de produtos naturais, quando eu passei a ajudá-la a buscar mais apoios. A rádio também passou a ter um técnico de som, o Luisinho, que na época também era assistente do Antonio Peticov. Além dele, o irmão do Otávio Rodrigues, Sergio, se tornou um assistente que botava a mão na massa. Tinha também um motorista figuraça chamado Barão, irmão da Lucinha. Um time muito bacana", assegura Ricardo Marcondes, namorado de Sonia na época da rádio ambulante. "Eu aprendi muito com ela, sabe? Virei vegetariano, e fomos morar juntos no período em que o Arnaldo Baptista ficou sob os cuidados dela e da Lucinha", lembra Ricardo. Era apenas o começo das Ondas Tropicais operando em terra, água e ar.

A fogueira de 20 metros de altura da temporada do cometa Halley em Campos de Jordão

Com apoio de empresas e da Secretaria de Cultura do Estado de São Paulo, conseguido graças ao amigo influente Geraldo Anhaia Melo, Sonia se apresentou por seis anos seguidos na cidade dentro do projeto Pôr do Sol com Música, no morro do Museu Felícia Leirner.

A passagem do cometa Halley, um dos grandes fenômenos astronômicos da década, era aguardada nos quatro cantos do planeta. Os paulistas elegeram os morros de Campos do Jordão o lugar perfeito para testemunhar a passagem da gigante rocha interplanetária que visita a Terra a cada 75,3 anos, aproximadamente. Por alguns dias, o Halley ficaria visível, em teoria, a olho nu.

O público ia chegando, se acomodando no ponto mais alto do morro, encarando uma friaca de 0°C para ouvir o repertório eclético de Sonia e observar as estrelas. Enquanto esperava o cometinha camarada, a rapaziada acendia um baseado, curtia um som e se aquecia perto da fogueira de 15 metros de altura, que era a única cenografia montada no lugar. "O cenário, na real, era a natureza maravilhosa dali. O gramado era o carpete, o teto, as estrelas, o ar condicionado, o vento. O fogo da imensa fogueira e a música completavam o clima. E dá-lhe Pink Floyd, Egberto Gismonti, Philip Glass, Jorge Ben (que, anos mais tarde, seria Jorge Ben Jor), Bach, Tomaso Albinoni. O maestro Diogo Pacheco era quem me ajudava muito nessa parte de música clássica", recorda Sonia.

Nessa mesma noite da passagem do Halley, um ano antes de escrever *O Alquimista*, livro brasileiro mais vendido de todos os tempos, Paulo Coelho subiu o morro de Campos do Jordão ao som de "Gita", música escrita em parceria com Raul Seixas.

"Eu não sabia que ele estava chegando. E eu estava tocando 'Gita'. Ele veio até a cabine e falou: 'Oi, sou o Paulo Coelho'. Eu fiquei tão passada que só falei: 'Nossa, que coincidência'. O Paulo Coelho já tinha tanta sabedoria sobre sincronicidade que nem precisamos falar mais nada", lembra a DJ sobre o encontro esotérico.

Otávio Rodrigues acompanhou Sonia para ajudar com textos, direção-geral e também discotecou. O jornalista e DJ Arthur Veríssimo e seu parceiro de cabine no Carbono 14, Alois Lacerda, também foram escalados para dividir a discotecagem com Sonia e Otávio.

"A passagem do Halley aconteceu na véspera do meu aniversário, no dia 9 de fevereiro. Eu escrevia uns *releases* pra Sonia, já conhecia o Otávio. Ela estava bombando nessa época. Eu era conhecido como Doktor Ezoterik, e o Alois era o Eddie, The Monster. A gente misturava Brian Eno com Mad Professor, Fela Kuti. Chegando a Campos, sentimos uma energia potencializada, estava cósmico. Eu me lembro de detalhes: eu e o Alois tínhamos tomado um Yellow Sunshine, LSD fortíssimo que havia chegado da Califórnia. Quando eu me dei conta, a gente estava no alto de um morro, e vi o Alois se lançando lá de cima, de peito. Ele reapareceu depois cheio de planta, com grama na roupa. Foi um momento muito louco que vivemos com a papisa Sonia Abreu. Ela estimulava a gente a ficar bem louco. A Sonia é uma pessoa ímpar na história da pesquisa musical no Brasil. Tive a felicidade de viajar pelo mundo afora, e a gente fazia muita troca de pesquisa. A gente trazia os discos de todos os cantos do mundo. Ela sempre foi muito primorosa", descreve Arthur Veríssimo com riqueza de detalhes.

Com Arthur Veríssimo, que tocou no Ondas Tropicais em Campos do Jordão na passagem do cometa Halley

"A Sonia é uma DJ que ambienta o lugar, e as passagens de músicas não são presas à ditadura da marcação de BPMs (batidas por minuto). Ela se preocupa com sonoridade e harmonia entre as músicas e com a história que ela quer contar. Essa coisa de perseguir a BPM prende demais os DJs, e ela tem essa passagem climática que eu considero mais interessante. Em Campos do Jordão havia bandas, orquestras e diferentes artistas se apresentando, mas nada se comparava ao som dela", conta Otávio Rodrigues.

O cometa Halley mesmo, bem, esse ninguém viu.

O TRIO ELÉTRICO

A rádio ambulante iria crescer ainda mais. Em 1987, depois do sucesso da temporada de Campos do Jordão, Sonia precisava de uma estrutura mais parruda para tocar em lugares maiores. Foi aí que o mecânico Juvenal Pereira entrou em sua vida, com seu ônibus Mercedes que seria convertido em trio elétrico.

Trio elétrico em Campos do Jordão

"Falei pra ele: 'Arruma esse ônibus, e a gente faz esse projeto juntos'. Vendi patrocínio para a Max Factor e Orloff e transformamos aquilo numa história maravilhosa", lembra Sonia. "O ônibus foi uma evolução das Ondas."

Ela não aposentou a Kombi. Para eventos maiores, as Ondas Tropicais contariam com o auxílio luxuoso do trio elétrico Sol Nascente para rodar os litorais paulista e carioca e alguns dos festivais de inverno em Campos do Jordão. O trio tinha um palco de 32 metros quadrados em cima do ônibus, uma mesa de 16 canais e um sistema de som que somava 11 mil watts de potência. Uma porrada!

Numa das temporadas em Campos do Jordão, o músico, ator e apresentador Ricardo Côrte Real e sua banda de blues, Tênis & Terno, se apresentaram em cima da Ondas Tropicais.

PRIMÓRDIOS DO TRIO SOL NASCENTE

O poeta Roberto Bicelli frequentava as apresentações da Ondas Tropicais no coreto da Rua Augusta e levava os colegas das letras para recitarem suas obras ali. O coreto era aberto para quem tivesse ideias e quisesse mostrar.

Foi ele quem apresentou a Sonia ao Juvenal. O mecânico ficou pirado pela DJ, que se fazia de desentendida. A cantada acabou sendo transformada em business. Foco e determinação, essa sempre foi a máxima de Sonia.

Foram muitas as aventuras com o trio elétrico. Numa temporada no litoral carioca, a trupe de Sonia dormia num hotel, enquanto Juvenal e sua família, com direito a cachorro e papagaio, dormiam no ônibus. "Em Búzios, o Juvenal levou a família e entrou numas de fazer churrasco com som alto no ônibus. Até uma peladinha rolou em cima da Mercedes, acredita? Aí um morador ficou putíssimo e foi pra cima, procurando briga e exigindo que o trio fosse embora da praia. Juvenal se desculpou e gastou muita lábia para que o morador ficasse calmo", lembra o assistente Luisinho. "Lábia não faltava pro Juvenal, era o que ele mais tinha", conta Sonia.

MARKETEIRA DO BLUES

Há estilos musicais que são verdadeiras filosofias de vida, e é curioso descobrir que alguns demoraram muito para chegar ao Brasil. O blues nasceu da mistura da lamentação, dores de amor e canções de trabalho cantadas por negros no estado do Mississippi, nos Estados Unidos, acentuada pela carga espiritual africana. O blues é pai do rock e influência sobre uma porrada de estilos musicais.

Entre os primeiros eventos importantes de blues no Brasil estão a passagem de B.B. King no Festival de Montreux, em São Paulo, em 1979, e, mais tarde, em 1985, Buddy Guy e Junior Wells tocaram diversas vezes no 150 Night Club, no Maksoud Plaza.

Mas foi em 1989 que um verdadeiro *dream team* do blues veio ao país. O Festival Internacional de Blues de Ribeirão Preto, realizado naquele ano no Parque Cava do Bosque, reuniu a nata do gênero na cidade conhecida por seus ótimos botecos: Buddy Guy, Junior Wells, Albert Collins, Etta James, Magic Slim, além dos brasileiros Blues Etílicos e André Christovam – que foi carregado no colo em cima do palco pelo lendário Albert Collins, de quem ele havia sido *roadie* no período em que morou nos Estados Unidos.

Adivinhe quem foi a radialista que fez promoção do festival numa Kombi com John Primer (guitarrista que integrou a banda do monstro Muddy Waters) e Buddy Guy.

"Eu não me lembro de nada, pra variar (risos). A minha função era rodar a cidade com uma Kombi cedida pela prefeitura de Ribeirão Preto para divulgar o festival. Eu tocava músicas e promovia o festival usando um alto-falante em cima do veículo. Os músicos piraram na ideia e dei carona para vários blueseiros passearem pela cidade", conta a DJ. Entre os músicos e bandas que deram um rolê com a Sonia na Kombi estavam Buddy Guy, Magic Slim, André Christovam, Blues Etílicos...

Naquele mesmo fim de semana de julho de 1989, Fernando Collor fazia na cidade um dos showmícios de sua campanha vitoriosa para a Presidência, tocando música pop da época, de Pet Shop Boys a Paralamas do Sucesso. A cidade ficou colorida, com um mix de fãs de blues e entusiastas do jovem presidenciável, e seus 34 hotéis ficaram lotados.

CAPÍTULO 13
A EMPREENDEDORA DO INCENSO PRETO FODIDO

A dona da Kombi!

Maria Beatriz Roquette Pinto foi a primeira mulher a trabalhar como locutora de rádio no Brasil, em 1923. Na sequência, nos anos 1930, Zenaide Andrea, Elizabeth Darcy, Maria de Lourdes Souza Andrade e Aspázia desbravaram a profissão. Elas apresentavam programas com temáticas totalmente voltadas ao universo feminino, como *A Hora das Donas de Casa*, que ia ao ar pela Rádio Cruzeiro do Sul, e *A Hora do Lar*, pela Rádio Guanabara.

Já nas radionovelas e também entre as músicas nacionais executadas, as mulheres tinham mais destaque: Emilinha Borba, Marlene e Linda Batista são até hoje conhecidas como as rainhas do rádio. Apesar do sucesso das cantoras, havia uma fraca participação de mulheres como locutoras ou em cargos de comando nas emissoras. Uma das primeiras vozes de sucesso das radionovelas foi de Lucimara Parisi, na Rádio Nacional, que no final dos anos 1960 se tornaria colega de Sonia na Excelsior.

Talvez um dos primeiros programas a dar voz a causas femininas no rádio brasileiro tenha sido o *Viva Maria*, no fim dos anos 1970, que buscava mobilizar os ouvintes contra a violência sexual e doméstica, além de ouvir e denunciar relatos sobre a qualidade no atendimento à saúde das mulheres pelas unidades públicas de saúde. Já os programas de entretenimento, com pegada mais pop, demoraram muito a ser entregues a mulheres.

Mesmo depois de dez anos como uma das melhores funcionárias da Excelsior AM, Sonia ainda não tinha tido a oportunidade de experimentar o posto mais cobiçado numa rádio, o de locutora.

"Apesar de fazer parte de um time da era romântica do rádio, Sonia era muito maluquete e à frente do seu tempo. Só não fez mais porque as loucuras sonoras precisavam passar pelo crivo do seu Abreu. Realmente, as apresentações de programas e de notícias ficavam a cargo dos homens", relata Luiz Fernando Magliocca, colega de Excelsior que anos mais tarde se tornaria um dos criadores da 89 FM, a Rádio Rock.

Apesar do reconhecimento pela sua capacidade profissional na rádio, a DJ sempre precisou responder a uma pergunta recorrente dos amigos: "Sonia, por que você não faz a locução dos programas que produz tão bem?". De fato, Sonia havia acumulado experiências como apresentadora de festivais, produtora de programas e fazia primorosamente a seleção das coletâneas da Excelsior e da Papagaio, mas ainda não tinha tido a oportunidade de ser locutora.

"Eu queria ter a chance, mas sabia que não era a minha hora e que, quando a oportunidade aparecesse, teria que estar pronta", lembra. Não faltavam exemplos de programas de sucesso produzidos por Sonia: *A Noite É Ceasa, Excelsior Disco Club, Beatles Again* e o *Pediu, Tocou, Ganhou*. Este último foi um dos primeiros a ter interação do ouvinte na escolha das músicas.

Porém, muita coisa mudou no momento em que a voz de Sonia Abreu ecoou no coreto da Rua Augusta para celebrar a obra de John Lennon. Na rádio ambulante Ondas Tropicais, Sonia também estava estreando como locutora. E ela adorou a sensação de poder expressar suas ideias e sentimentos intercalados com sua seleção musical. Logo, a rádio ambulante Ondas Tropicais estava na boca do povo e chamando a atenção de vários jornais.

Graças ao sucesso do seu empreendimento sobre quatro rodas, Sonia recebeu um convite para apresentar seu primeiro programa como locutora na rádio USP FM. O nome? Sim, Ondas Tropicais, a marca que o ET havia, indiretamente, soprado ao seu ouvido.

"No período de locutora, eu realizei muitos feitos no rádio. Eu coloquei os árabes pra tocar, como Khaled, por exemplo. Também trouxe novidades, como Manu Dibango, Natacha Atlas, Youssou N'Dour. Pensava em quem estava me ouvindo, gostava de falar as frases que eu escrevia. Era como uma acupuntura para os ouvidos. A parte técnica não me importava muito. Eu gostava de falar as frases de efeito, o objetivo era sempre fazer a cabeça. Eu ia com tudo já determinado, sofrido, escrito.

Eu não suportava que alguém ficasse no estúdio. Nunca gostei de receber pessoas quando estou trabalhando", conta Sonia.

Um dos textos inspirados da locutora você lê a seguir:

> *Aqui nas Ondas Tropicais você testa a receita de sua identidade cultural.*
>
> *Ondas Tropicais está começando, afinal a história é sem fim e continua sempre de maneira insólita. Não importa de onde viemos ou para onde iremos. O que importa é que a vida é movimento.*

Na fase de adaptação ao novo papel na rádio, o parça Otávio Rodrigues ajudou a amiga com toques valiosos. "Os primeiros programas da Sonia tinham falas de três minutos. Eu achava muita coisa. Aí eu fui falando para escrever um texto mais curto, sem deixar de fazer o bate-papo que ela fazia tão bem. Ainda havia muito daquele texto descolado da revista *Pop*, mas faltava a agilidade que as locuções de rádio pedem. Ela topou enxugar e fazer nesse esquema do 'mistura e manda': tocar música direto, sem parar, e jogar textos curtinhos em cima", explica Otávio.

A rádio Ondas Tropicais migrou das ruas para o dial da USP FM em 1986. No ano seguinte, Sonia e Otávio passaram a apresentar o programa *Dark Light* pela 89 FM. Com programação cabeçuda, não exatamente comercial, o programa ia ao ar da meia-noite às 2 horas de domingo. Além da versatilidade da dupla, a bióloga Rosa Maria Tavares de Andrade tinha um quadro no programa que falava sobre vida animal. Na sua coluna, a cada programa, ela falava sobre um animal, que imediatamente era linkado com um bloco musical. Rosa tinha uma sintonia de astral com Sonia e Otávio, por isso a conexão percebida no *Dark Light* fazia todo o sentido. "A gente fazia muitos projetos juntos, nossas vidas estavam tão interligadas pela amizade genuína que o resultado do programa não poderia ser outro. As pessoas percebiam a mais pura sintonia", conta Otávio.

"Naquele horário, a rádio ficava vazia. Só tinha o guarda Francisco, que está lá até hoje. O cara era muito bravo. Não deixava ninguém fazer nada diferente na rádio. Só que a Sonia dobrou o cara. Pra você ter uma ideia, ela fumava maconha dentro do estúdio. O Francisco ficava louco, mas sempre a tratava com carinho. Além do beque, Sonia levava o IPF (incenso preto fodido, segundo piada interna dos dois). Quando acendia aquele negócio no estúdio, era um Deus nos acuda! A gente passava o dedo nas paredes e ficava um resíduo, cheio de óleo", diverte-se o amigo.

Como locutora da 89 FM

Apesar de rolar num horário um tanto ingrato, o programa foi sucesso de crítica. Dê uma olhada na resenha publicada no Caderno 2 no jornal *O Estado de S. Paulo* em 4 de junho de 1987.

Uma noite, mil histórias
Por Claudio Odri

Aqueles que costumam dormir até um pouco mais tarde podem descobrir um motivo a mais para isso. Boa música, sem preocupações estilísticas e informações inteligentes são ingredientes capazes de deixar atentos os ouvintes notívagos. É com essa fórmula simples que a apresentadora Sonia Abreu vem conquistando ouvintes a cada novo programa. Todo domingo à meia-noite, desde agosto último, tem Dark Light *na 89 FM.*

Quem sintonizar o Dark Light *pode ter certeza de que vai ouvir música de primeira qualidade. Lá, rock convive com música oriental e alta tecnologia se junta ao primitivo. Pense bem: em qual outro programa você pode ouvir uma detalhada explanação sobre o koto – instrumento folclórico japonês –, suas origens e seus usos e ainda ser brindado na madrugada com um singelo e didático concerto?*

Conjugar emoções e montar um painel musical em cima dos mais inusitados temas é a marca do Dark Light. Toda semana. Sonia Abreu e Otávio Rodrigues elaboram os temas. Já foram ao ar temas tão variados quanto incomuns. De ecologia à tecnologia, dos mistérios do Oriente às aventuras de Sherazade, dos encontros de Tristão e Isolda até uma insólita viagem ao lado do sábio chinês Confúcio. Tudo embalado por trilhas sonoras que vão de Frank Zappa, Gilberto Gil, Jolly Brothers até Talking Heads, Patrulha do Espaço e Joe Jackson. Sempre rola uma informação, uma nota, uma história interessante.

Esse dom de encontrar a música certa na hora certa tem pouco mistério. Sonia Abreu, antes de chegar à 89 FM, acumulou uma experiência pouco desprezível e bastante invejável. Primeiro como produtora musical na Excelsior, e depois, quando caiu na estrada, embarcando na sua própria rádio: a Ondas Tropicais, que este ano completou sete anos e foi o modo pelo qual ela conseguiu falar e tocar as suas coisas.

Sonia Abreu tem um lado místico e religioso extremamente presente. Um fascínio pelo Oriente e por Jung indisfarçável, além da certeza de poder colaborar com a preservação do homem e do planeta. Ela divulgou essas certezas por muito tempo pelos parques e recantos culturais da cidade através das suas Ondas Tropicais.

Essa mágica esperança e o poder de combinar sons, aparentemente tão díspares, levaram-na de volta ao rádio. Primeiro na USP e agora na 89 FM.

Dark Light *é o enésimo programa a desmistificar o pressuposto da "boa voz" para locução. Sonia não se encaixa nos padrões comerciais das FMs, todavia conduz o programa de forma impecável. De que adianta mais uma boa voz sem cérebro? É preciso comunicar com consistência, e isso ela consegue.*

Como nada pode ser perfeito, Dark Light *dá sua contribuição. O grande castigo é ter um programa como esse num horário tão absurdo. Domingo, à meia-noite, e privar – deliberadamente – os ouvintes, que sofrem barbaramente nas mãos das FMs, de um raro sinal de vida inteligente no dial. O programa acaba sendo privilégio dos notívagos e insones.*

Pior ainda, nesse esdrúxulo horário a 89 FM passa a impressão de ter uma programação tão rica e de alto nível, sem chances para remanejamento de horário. O que qualquer ouvinte atento comprova, sem muito esforço, ser uma mentira. Um programa com a qualidade do Dark Light *tem espaço para qualquer rádio e hora que bem entender. Senhores diretores da programação, parem de subestimar a inteligência de seus ouvintes.*

CAPÍTULO 14
WOODSTOCK BRASILEIRO

A famosa Kombi com a pintura de André Peticov

Até uma criança sabe que um dos grandes responsáveis por massificar o binômio paz e amor mundo afora foi o Festival de Woodstock. O megaevento de contracultura rolou entre os dias 15 e 18 de agosto de 1969 na gigantesca fazenda de Max Yasgur, a 130 quilômetros de Nova York, atraindo 400 mil pessoas para ver shows históricos de Jimi Hendrix, Joe Cocker, Janis Joplin e mais a nata do som rock riponga da época.

A notícia sobre o megafestival hippie fez a cabeça de todo e qualquer bicho-grilo ao redor do mundo, e não foram poucas as tentativas de fazer algo naqueles moldes em vários países. Seis anos mais tarde, os brasileiros tiveram a chance de provar uma versão nacional, bem menor, é claro, de um festival onde não faltaram alguns dos elementos mais importantes de Woodstock, especialmente a lama.

Em 1975, o Festival de Águas Claras faria a primeira de quatro edições (as outras três em 1981, 1983 e 1984) de sua importante história na Fazenda Santa Virgínia, na divisa entre Reginópolis e Iacanga, municípios do interior do estado de São Paulo.

Cada edição tinha três dias de apresentações, e foram muitos os nomes de peso da música brasileira que fizeram shows históricos em seu palco: Raul Seixas, Luiz Gonzaga, João Gilberto, Mutantes, Alceu Valença, Almir Sater, Moraes Moreira, Fagner, Gilberto Gil, Egberto Gismonti, Armandinho, Trio Elétrico de Dodô e Osmar, entre tantos outros.

Se não bastasse o line-up recheado de atrações de alto nível, certo clima de quermesse funcionava também como chamariz para o povo da cidade grande. Paralelamente aos shows, havia em Águas Claras competição de motocross, globo da morte, balonismo e intervenções circenses, como os palhaços de perna de pau que se apresentaram no show do multi-instrumentista Egberto Gismonti, no lançamento do disco *Circense*.

O responsável pelo Woodstock brasuca era Antonio Checchin Junior, jovem barbudo mais conhecido pelo apelido de Leivinha. Hoje advogado em Mato Grosso, Leivinha organizou o Festival de Águas Claras depois que seu pai cedeu a fazenda da família para que o filho, então com 22 anos, parasse um pouco quieto, após inúmeras viagens que tinha feito ao redor do mundo.

Rodeado de amigos do teatro e da música, Leivinha pensou que o festival seria uma boa forma de abrir os horizontes musicais de quem morava no interior paulista. Mas a verdade é que os efeitos de sua criação foram muito além das fronteiras de Iacanga e região. Hippies e roqueiros de todas as partes do Brasil e da América Latina chegavam aos montes à cidade que, na época, tinha apenas 3 mil habitantes.

Para convencer os milicos, em pleno regime militar, de que se tratava apenas de muita gente reunida celebrando a paz e o amor, Leivinha assinou um termo atestando que o evento não propunha subversão ou apologia às drogas. O curioso é que essa promessa por escrito foi suficiente para que ele tivesse o OK oficial para promover o festival.

Será que houve perrengues? Claro que sim. Em Iacanga faltou água e comida nas quatro edições do festival. Só não houve tragédia porque o clima solidário e badabauera fazia o povo repartir o pão e o vinho. Banhos rolavam no rio mesmo, e o banheiro... Bem, era onde desse.

Sonia era a cara do movimento hippie a essa altura e se comunicava por meio da música. Nada mais justo que ela participasse ativamente dessa bagunça libertária que foi o Festival de Águas Claras. Na edição de 1981, Sonia discotecou nos intervalos dos shows que rolavam na parte da manhã e no fim de tarde. Da ponta de sua agulha saltavam hits de Woodstock, como "With a Little Help from My Friends", dos Beatles, na voz rasgada de Joe Cocker, o fogo incandescente de "Mercedes Benz", com Janis Joplin, e a clássica do panteão do rock "Aqualung", no vigor de guitarra e flauta do Jethro Tull.

"Eu fiquei maravilhada no meio daquele festival muito louco. Rolou um temporal, e aí você imagina a quantidade de lama dos pés à cintura daquele povo", relembra Sonia.

"Imagine uma mulher pegando a estrada com sua turma rumo ao interior de São Paulo e comandando aquela onda toda. A Sonia é demais.

Combinamos que ela ficaria num hotel para descansar dos dias puxados tocando direto, enquanto eu ficava tomando conta do equipamento dormindo na Kombi", conta Luís Carlos Mateus, assistente da DJ na época.

Em 1981, Raul Seixas foi um dos headliners no segundo dia de shows, mas fez uma das piores apresentações da carreira. O Maluco Beleza entrou tão chapado que seria impossível fazer uma performance minimamente razoável. A solução foi colocá-lo no palco ao som de playback. E rezar.

"A molecada não era tão paz e amor assim, viu? Eles eram ferozes! Quando o show atrasava, eles jogavam garrafas no palco. Não tinha cerveja em lata, era em garrafa de vidro mesmo", recorda Sonia.

A fotógrafa Grace Lagoa, uma das mais requisitadas retratistas de rock dos anos 1970 no Brasil, estava com Sonia no festival e se lembra da valentia da amiga na hora de acalmar os ânimos do público. "Antes de o Raulzito entrar, eu e a Sonia chegamos de trator perto do palco. Quando ela percebeu o fuzuê de garrafa quebrando, foi lá na frente do palco para peitar os malucos", detalha Grace.

Ela lembra que a imagem de Sonia impunha muito respeito. "Ela chamava atenção, sempre foi chique, sempre usava um bom batom, era muito ligada à aparência, vaidosa, mas tudo isso sem frescura. Ela chegava muito séria. Às vezes parece antipática, mas só até a pessoa começar a conversar com ela. Depois se apaixona", descreve a fotógrafa.

"Eles viram a minha imagem de iogue ali no palco, ficaram em silêncio e ouviram meu lero com respeito. Por um tempo a situação ficou controlada", detalha Sonia.

João Gilberto subiu ao palco às 6 horas da manhã, depois de Raul, com o sol nascendo. As 70 mil pessoas cheias de lama e molhadas de chuva cantaram em uma só voz, junto do sussurrar melódico do pai da bossa nova.

♪♩ *Isto aqui, ô ô*
É um pouquinho de Brasil iá iá
Deste Brasil que canta e é feliz

Feliz, feliz
É também um pouco de uma raça
Que não tem medo de fumaça ai, ai
E não se entrega não ♪♩

Não foram poucas as lágrimas de emoção provocadas por aquela catarse musical no interior de São Paulo, em tempos tão obscuros do país. Além de ter sido um trampo estimulante, o Festival de Águas Claras trouxe uma boa nova para a vida de Sonia.

"Chovia torrencialmente naquele dia. Sonia estava no palco apresentando as bandas. A gente ficou trocando olhares, fiquei meio inseguro no começo. Depois tomei coragem e subi ao palco. Sei que foi muito especial e ainda descolei uma carona de Kombi para voltar a São Paulo. Sonia já fazia a Ondas Tropicais ao vivo, sua Kombi era muito legal, com pintura feita pelo André Peticov (irmão de Antonio). Depois disso fui trabalhar com a Sonia pra ajudar a encontrar patrocínios", lembra Ricardo Marcondes, um dos legados do festival de Águas Claras.

CAPÍTULO 15

A PIRATA DO SAVEIRO AMAZÔNIA

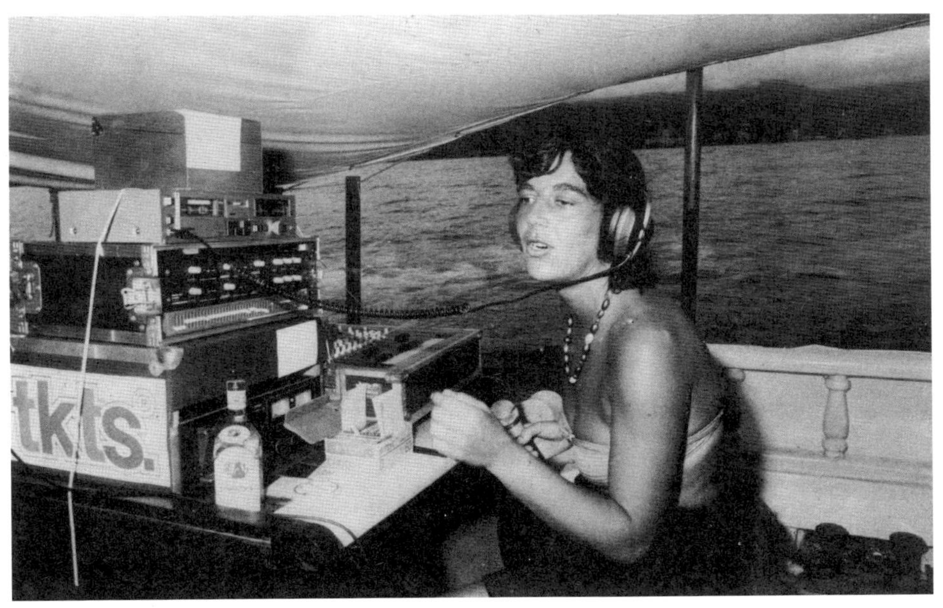

No barco, levando música pelos litorais de São Paulo e Rio de Janeiro

A rádio ambulante Ondas Tropicais, autêntica herdeira do conceito de sound system jamaicano, se metamorfoseou em diversos formatos. Nasceu num Fusca, pulou para uma Kombi e conquistou corpo a ponto de ocupar um ônibus. Até que, em 1989, já com quase dez anos de estrada, deixou as rodas para trás e se transformou em embarcação.

Assim como a pioneira rádio pirata Radio Caroline, que emitia as músicas de novas bandas, como The Who e Rolling Stones direto do navio Mi Amigo, ancorado em Copenhague, Dinamarca, para o abastado mercado britânico nos anos 1960, Sonia foi mais uma vez ousada e passou a propagar sua eclética discotecagem a bordo de um barco, o saveiro Amazônia, que ela alugou e transformou num sound system sobre as águas dos litorais de São Paulo e Rio de Janeiro.

A aventura durou 27 dias, tempo suficiente para causar um estardalhaço de marketing e, claro, promover festas de arromba pelas praias mais legais desse pedaço do litoral. A ideia de Sonia era tão criativa e surpreendente que os jornais da época descreveram a aventura marítima de um jeito quase poético. O texto de Osmar Freitas Jr., do jornal *O Estado de S. Paulo*, levava o leitor para a praia diante da "capitã Sonia" e seu baile caribenho.

> *Foi um ataque no velho estilo capitão Blood: surpreendente e avassalador. As vítimas – milhares de banhistas na praia da enseada, no Guarujá – não tiveram tempo para outra reação além do queixo caído. No sábado pela manhã o saveiro Amazônia embicou no rumo das areias e, quando estava a curta distância dos guarda-sóis, fez uma rápida manobra a estibordo. Poucos notaram que o barco estava em perfeita posição de ataque: era tarde demais para fugir. Um inusitado apito de petroleiro foi ouvido das Pitangueiras a Tortuga. Em seguida, seis mil watts de som bombardearam os incautos e atordoados veranistas. A voz da radialista Sonia Abreu surgiu*

em alto e bom som, literalmente. "Embarque na trilha das águas, um programa de rádio ao ar livre e em mar aberto." Começava assim a maior abordagem pirata nesse verão de 1989 – a da Ondas Tropicais, uma rádio pirata sobre as ondas.

De capitão Blood não estava Errol Flynn, mas a própria Sonia Abreu, que há mais de oito anos apresenta seu programa de rádio ambulante nos mais insuspeitados locais. Após ter rodado o eixo Rio-São Paulo em uma Kombi e depois em um ônibus, ela resolveu singrar os mares. Alugou o saveiro Amazônia em Ilhabela e o equipou com 6 mil watts de som, administrado pelo técnico Luís Carlos Mateus. Sua pirataria começou no Guarujá, mas promete se estender ao rumo norte, ao longo da costa até Ubatuba. A munição para os ataques é composta de mambos, rock, blues, reggae, clássicos e muita salsa caribenha, numa seleção que ela mesma batizou de música do Quarto Mundo.

Quando ouvia os fãs da Ondas Tropicais brincando com a ideia de que só faltava a rádio sacudir a galera no mar, a DJ não teve dúvida. "Com um barco, as pessoas não precisam desviar a atenção das águas. Eu adorei a sugestão e fui atrás", detalha Sonia. A bordo do Amazônia, a radialista comandava sete marujos, que se dividiam entre equipe de produção e de marketing. A direção artística era de Otávio Rodrigues, e Fred Rossi assinava a produção.

Quem viu o barco da Ondas Tropicais num de seus ataques marinhos o descreve como uma verdadeira revolução. Ninguém ficava parado na praia. O saveiro Amazônia transformava as areias quentes do litoral em pista de dança. Testemunha do astral do barco de Sonia, o primo Marcos Abreu se transformou em um quase atleta para acompanhar a prima capitã e curtir a onda mais de perto.

Marcos trabalhou como engenheiro à frente de projetos no litoral Norte de São Paulo e morou por mais de um ano em Ubatuba. Ele estava passando alguns dias na casa de um amigo em Boiçucanga, e numa segunda-feira foi tomar o café da manhã na padaria da vila. Quando leu a notícia de que sua prima estava saindo de Ilhabela e no dia seguinte passaria em Camburi, ele ficou eufórico com a possibilidade de vê-la.

Na terça-feira ele pulou cedo da cama e às 7h30 já estava de prontidão no canto direito da praia de Camburizinho, ainda um pouco descrente sobre a aparição. "Não é que antes das 9 horas a escuna surgiu de trás dos morros? Quase não acreditei! Eu me atirei na água e comecei a nadar. Passei pela surfistada toda e continuei nadando firme. No meio do caminho, me bateu uma baita neura. Será que vão me ver? Será que posso subir a bordo? E se eu tiver câibra, alguém vai me socorrer?", lembra o primo.

Por sorte a embarcação o viu, parou e abriu uma exceção para deixá-lo subir a bordo do Amazônia.

"Eu já estava exausto! Subi no barco, e a Sonia estava empolgadona; ela vestia top e shorts, usava batom vermelho e tinha um fone de ouvido pendurado na orelha esquerda enquanto a outra estava livre. Ela me viu e tomou um susto quando contei como eu havia chegado até ali", lembra. "Nisso, uma tchurminha se aproximou do barco num pequeno bote na maior animação, dançando com as mãos pra cima enquanto rolava uma música caribenha embalando tudo", descreve. Mais tarde, quando o Amazônia ia partir para o sul rumo a Santos, Marcos se despediu e caiu novamente no mar.

Sonia trabalhou duro como capitã do Amazônia, mas também se divertiu. "Um dos patrocinadores era o licor de uísque Yukon Jack. Eu tomava todas e ficava meio altinha. Daí me jogava no mar pra dar um *restart*", diz Sonia, rindo dos pileques no Atlântico.

Luisinho, assistente da DJ na época, também descreve o clima na embarcação: "A gente fazia festas de manhã e na parte da tarde. Nesse meio-tempo, parávamos em algum lugar para almoçar, mas ficamos esses 27 dias praticamente sem sair do barco. No meu aniversário, dia 23 de janeiro, a gente resolveu descer pra tomar umas no bar. A Sonia ficou no barco enquanto eu, o marinheiro Luiz, um casal de produtores e o Fred Rossi fomos tomar nossas biritinhas. Na volta, a gente estava muito bêbado, e o nosso bote virou. Um dos caras não sabia nadar e foi desesperador. Quando virou, o marinheiro segurou esse cara pelo cabelo, mas, como ele se debatia com medo, quase escapou. Apesar do susto, chegamos ao barco rindo de nervosismo. A Sonia era tão focada no trabalho que não quis ir. Por causa dessa dedicação, ela se livrou de uma experiência que, graças a Deus, não terminou em tragédia", conta Luisinho.

VERÃO DA LATA

Numa das visitas do Doctor Reggae (apelido que Otávio Rodrigues ganhou por ser um PhD do gênero) à embarcação, eles receberam um convite para passar a tarde na casa de praia de um amigo da Sonia, no caminho de Ilhabela. De frente para o mar, a casa tinha piscina, muitos quartos, jardim. Era um desbunde.

Os amigos curtiam o fim de tarde na praia quando um garoto gritou: "Pai, achei uma lata de sardinha". Para surpresa de todos, não era bem sardinha que os mares traziam aos banhistas. Tratava-se de uma amostra da fenomenal *cannabis sativa*, presente de Jah aos navegantes naquele que ficou conhecido como o Verão da Lata.

Recapitulemos. No dia 25 de setembro de 1987, 18 latas foram encontradas boiando próximo ao litoral do município de Maricá, no estado do Rio de Janeiro. Os pescadores locais abriram algumas latas, não entenderam o que era aquilo e entregaram o carregamento à Polícia Militar. Cada uma das latas continha cerca de um quilo e meio de maconha. Segundo o livro *O Verão da Lata,* do jornalista carioca Wilson Aquino, esse foi o primeiro registro oficial da história que se tornaria uma verdadeira lenda das praias brasileiras. No final de agosto daquele ano, a Polícia Federal do Rio de Janeiro recebeu um comunicado dos Estados Unidos dizendo que o navio *Solana Star*, que vinha da Austrália, estava no litoral fluminense carregado com 22 toneladas de maconha, que seriam depois repassadas para outros dois barcos com destino a Miami. Quando a tripulação descobriu que o navio estava sendo procurado, despejou a "pequena" pala ao mar. Para alegria de surfistas e maconheiros de plantão, muitas latas foram encontradas no litoral de São Paulo e do Rio de Janeiro e demorou um tempinho até sumirem do mapa. Estima-se que o *Solana Star* tinha 15 mil latinhas a bordo!

"Degustamos aquela especiaria de uma qualidade que eu ainda não tinha experimentado", conta Otávio. "Era uma maconha úmida, deliciosa. Eu me lembro de ter visto um mar prateado, eram as latas. Mas não sei de muitos detalhes", tenta recordar Sonia – bem, é verdade que um dos efeitos colaterais do uso da erva é uma leve perda de memória.

CAPÍTULO 16
O RESGATE DO LOKI

Na casa de Arnaldo Baptista em Juíz de Fora (MG)

Arnaldo Baptista fez uma visita a Lucinha e a Sonia no final de 1981. O Loki tocou vários instrumentos na gravação do LP *Singin' Alone:* teclado, guitarra, baixo e bateria, seguindo o exemplo do ídolo Paul McCartney, que já havia assumido as vezes de banda de um homem só em seu primeiro álbum solo, *McCartney*, após o fim dos Beatles. Lançado pelo selo Baratos e Afins, braço fonográfico da histórica loja de mesmo nome que sobrevive até hoje na Galeria do Rock, o álbum tinha como única participação especial o backing vocal de Suzana Braga nas faixas "The Cowboy" e "Corta Jaca".

Com a proximidade do lançamento do LP, Arnaldo se sentia ansioso e desequilibrado emocionalmente. O papo com as amigas naquela noite alertava sobre o seu estado de saúde. "Estou me sentindo como Jimi Hendrix", disse o músico a Lucinha e a Sonia.

A mãe de Arnaldo, a pianista erudita Clarisse Leite Dias Baptista, resolveu pedir ajuda para o então governador de São Paulo, Paulo Maluf, e conseguiu uma internação para o filho no Hospital do Servidor Público de São Paulo no dia 27 de dezembro. A estirpe classuda da família Baptista vinha por influência do patriarca, César Dias Baptista, que fora secretário particular do ex-governador Adhemar de Barros.

Apenas cinco dias após sua internação, Arnaldo confidenciou a Suzana Braga que estava atravessando o pior dia de sua vida. Mas o pior dia mesmo ainda estava por vir.

No dia 1° de janeiro de 1982, aos 33 anos, um dos maiores compositores de música brasileira tentou fugir de sua internação se jogando da janela do hospital. Antes de pular, ele quebrou as janelas de vidro com as próprias mãos. Os médicos que prestaram socorro ao músico caído no estacionamento do hospital diagnosticaram fratura no crânio, edema cerebral e pulmonar, sete costelas quebradas e várias lesões pelo corpo. Os especialistas diziam que seria um milagre se ele escapasse com vida.

Suzana soube do ocorrido um dia depois e ficou desnorteada. A família de Arnaldo não podia ajudar muito naquele momento, já que o pai havia morrido, a mãe estava acamada por causa de uma doença infecciosa, e os irmãos estavam distantes: Sergio Dias morava nos Estados Unidos, e Cláudio César, no Rio de Janeiro.

Suzana ligou para as amigas Sonia e Lucinha pedindo ajuda. Lucinha entrou em estado de choque. Sonia foi ao hospital e tentou dar um jeito nos problemas mais imediatos. Por ter crescido numa família de médicos e conhecer muitos profissionais da área, Sonia conversou com Büller Souto, assistente da diretoria, sobre a negligência de manter janelas sem grades no hospital.

Souto tentou argumentar dizendo que as janelas tinham grades. Sonia foi estrategista: "Não adianta vocês colocarem grades agora, não. Tiraram foto da janela quebrada e sem grade. Isso é muito grave, viu? Se vocês me derem passe livre para ajudar na recuperação do Arnaldo, a gente mantém isso em segredo. Mas se vocês dificultarem, a gente vai colocar a boca no trombone e vai rolar processo por negligência".

O acordo foi feito. Mesmo assim, o inquérito que apurava as condições de segurança do hospital já estava em curso no 36º Distrito Policial, na Vila Mariana. Os administradores do hospital sabiam que, caso Sonia resolvesse dar com a língua nos dentes, a coisa ia ficar ainda pior.

A discotecária conseguiu uma licença para três horários diários de visita na UTI. "Sonia formou um esquadrão de mulheres de confiança para se revezar nos cuidados com o Arnaldo: Lucinha Barbosa e a irmã Vera, Suzana Braga e Carmen Sylvia (cunhada de Dinho, primeiro baterista dos Mutantes). A gente ficava o dia todo, ao menos duas pessoas de vigília", conta Grace Lagôa, fotógrafa e sexta mulher do esquadrão de resgate do Loki.

Ainda como parte do "combinado" de Sonia com o hospital, Arnaldo foi transferido da UTI para um quarto particular três meses depois do acidente, após ter despertado do coma. Para reanimá-lo, Sonia e Lucinha fizeram várias modificações no ambiente e implementaram maluquices terapêuticas: acenderam diferente tipos de incenso, chamaram especialistas em acupuntura e massagem do-in, penduraram imagens de deuses indianos nas paredes e, a todo momento, faziam Arnaldo ouvir música usando o walkman que Rita Lee havia dado quando foi visitá-lo no dia seguinte ao acidente: selecionavam de hits dos Mutantes a música clássica, passando pelos solos de Jimi Hendrix.

As mulheres da força-tarefa sempre cantarolavam músicas próximo ao ouvido do compositor. No dia em que Sonia cantou a introspectiva "Dia 36", canção do começo da carreira dos Mutantes, algo novo aconteceu e reacendeu as esperanças de recuperação.

♪♩*Esquece não pensa mais*
Lenço azul a apertar
Em branco o seu pensar
Toda uma vida embaça o seu olhar
E andando vê passando
Tudo aquilo que errou
Hoje é dia 26
Quem sabe vive outra vez
Ela se foi sem eu ver
Um beijo a flutuar
Cabelos rosas gente a se abraçar
Tudo alegre indo e vindo
Tudo em volta a brilhar
Esquece não pensa mais
Um grito ele amou
Lençóis e colchas vão se encontrar
Não é mais dia 26
Tudo começa outra vez
Um, dois, três, 26
Tudo isso já ficou
A paz é forte e ele vai viver

A menina em frente quente
O amor a fez girar
Hoje é dia 36
Um grito ele amou
Lençóis e colchas vão se encontrar
Não é mais dia 36
Tudo começa outra vez
Esquece e não pensa mais ♪♩

Arnaldo conseguiu esboçar um discreto sorriso. Para uma pessoa que estava desenganada pelos médicos, a ação conjunta de suas amigas estava exercendo um verdadeiro milagre.

Depois de cinco meses recebendo a mais genuína dedicação daquelas mulheres, Arnaldo Baptista recebeu alta em 7 de maio de 1982, e aos poucos foi retomando seu trabalho artístico, agora incluindo novas vertentes, como a pintura, incentivada por Lucinha, que acabou se tornando mais tarde esposa do músico.

"Ele saiu do hospital e foi pra minha casa. Na época eu estava no meu apartamento de dois quartos, em Pinheiros. Morávamos eu e a Lucinha. Ela e ele ficaram no meu quarto, e eu fiquei onde era o quarto da Lucinha. Ele ainda estava em recuperação. Foi difícil. Arnaldo ficava bravo, não sabia direito quem ele era. Os músculos deram uma atrofiada. Quando ele estava no hospital, eu o tirava de lá escondido, botava no Fusca e levava pra tomar sol. Eu executava as coisas, já o astral era da Lucinha. A gente fez ele viver de novo", detalha Sonia.

Em 1983, no Tuca – Teatro da Pontifícia Universidade Católica de São Paulo –, Arnaldo fez uma das primeiras aparições públicas depois do acidente. "Eu, Belchior e Lucinha organizamos o show da volta do Arnaldo – nesse show aconteceu também o lançamento de um disco independente do Belchior. Foram convidados também o Aguilar e a Banda Performática. O Arnaldo se apresentou nesse dia, mas não estava

100% recuperado", relembra Sonia. O show arrecadou dinheiro com o objetivo de ajudar o músico a se reerguer.

"O Arnaldo tirava um pouco do nosso tempo. Eu e a Sonia até saíamos para nos divertir de vez em quando, mas o foco ficou muito na recuperação dele. É verdade que ele só comia comida natural e precisava de uma série de cuidados. Os médicos diziam que ele não falaria nunca mais. Sei que ele fez vários tipos de terapia providenciados pelas meninas: psicotranse, acupuntura etc. A Lucinha chorava muito, mas não perdia a esperança. Isso tudo levou a vida da Sonia para outro caminho. Ela se doou para o Arnaldo por causa da amizade com a Lucinha. Ela mantinha um tempinho destinado à música, claro, mas o resto era tomado pelos cuidados com o músico. Depois que ele começou a se recuperar, chegamos a sair todos juntos e viajar. Mas a minha relação com a Sonia acabou e nos afastamos um pouco. Sonia e Lucinha faziam uma parceria muito bonita. Elas se entendiam e se completavam. A dedicação da Sonia ao Arnaldo era totalmente por amor a Lucinha", conta Ricardo Marcondes, consultor de negócios e ex-namorado de Sonia. O flerte no palco do Festival de Águas Claras rendeu um relacionamento de sete anos, chegando ao fim pouco depois da recuperação do Arnaldo.

"Sem dúvida, Arnaldo deve a sua segunda vida à Sonia. Ela criou uma força-tarefa para cuidar dele no hospital e depois no apartamento dela, junto com a Lucinha. E olha, foi um ato de total desprendimento e bondade", afirma Antonio Peticov, artista plástico renomado e primeiro empresário dos Mutantes.

Hoje, o casal Arnaldo e Lucinha vive no sítio da guru de Sonia, em Minas Gerais. Em sua autobiografia, Rita Lee descreve Lucinha como a fã que "parece Rita Lee". Polêmicas à parte, Lucinha se tornou assessora e espécie de administradora da carreira do Arnaldo. Os encontros para matar a saudade são mais escassos do que a discotecária gostaria.

Durante a entrevista sobre o relançamento de seu disco *Loki?* no formato vinil em maio de 2017, Arnaldo não se furtou a comentar a época em que conviveu com a amiga DJ.

"Eu compartilhei muitas coisas da minha vida com a Sonia, no sentido de música e, principalmente, de convivência, de viver junto. Eu e minha esposa Lucinha vivemos vários anos com a Sonia em Pinheiros", diz. "Sonia tinha centenas de discos por conta do trabalho como disc-jóquei, na rádio ambulante Ondas Tropicais, e eu ficava ali tentando absorver, tentando perceber o tanto que eu conseguia alcançar daquilo tudo. Ela é uma ótima pessoa, que fez parte da minha vida", declara o Mutante sobre a amiga.

CAPÍTULO 17

DOCTOR REGGAE

Sonia com o amigo jornalista e DJ Otávio Rodrigues

Sonia teve muitos ajudantes, colaboradores, gurus e aprendizes na vida, mas sempre faz questão de ressaltar a parceria com o amigo Doctor Reggae, o jornalista e DJ Otávio Rodrigues. Ele ganhou esse apelido por ter sido o primeiro a transmitir o estilo jamaicano nas rádios brasileiras com o programa *Roots, Rock, Reggae,* na Nova Excelsior FM, em 1982. Aliás, quando o assunto for pioneirismo no reggae brasileiro, pode crer que o nome de Otávio estará lá cravado.

Ele organizou a primeira conexão internacional de reggae chamada Projeto Jamaica-Brasil, criou uma das primeiras noites de reggae em São Paulo, a *Disco Reggae Night*, no Aeroanta (de 1989 a 1992), o primeiro selo especializado, Reggae 'n' Roll, na gravadora Continental (1991-1992) e participou do início de bandas, como Skank, Cidade Negra e Tribo de Jah. Rastafári, man!

Otávio era fã da programadora eclética e antenada da Excelsior AM. Ficou ainda mais encantado por Sonia quando ela surgiu com a ideia de montar um sound system tipo jamaicano em automóveis, tocando música caribenha, calipso e salsa.

"Fui a uma apresentação no Clube Holms, no Dia Internacional da Mulher, e vi a tal da Sonia Abreu, de quem eu já tinha ouvido falar pelo trabalho que ela fazia na rádio. Ela escrevia colunas no jornal *Primeira Mão* e na revista *Pop*. Aquela DJ era um personagem típico dos anos 1970, totalmente maluquete. Aí ouvi aquele som misturando música pop e latina e pirei. Dali a pouco soltei um UAU, mais uma música boa do caralho que eu adoro. E logo depois um outro UAU. E outro UAU. Foram muitos UAUs para um set só. Que DJ era aquela? Depois fiz questão de ficar no gargarejo de uma apresentação no Parque do Ibirapuera tentando entender aquilo tudo. Não era comum uma mulher exercer essa função naquela época. E fazendo muitíssimo bem, superprofissa. Eu era muito novo, tinha uns 23 anos, e trabalhava como redator da revista *Somtrês*", lembra Otávio.

"Ela me procurou depois para questionar sobre divulgação e para saber mais profundamente sobre o universo dos sound systems. Ela montava muitos projetos para tocar ao ar livre, e eles precisavam de patrocínio. Foi aí que ela começou a me chamar pra ajudar com esses textos. A gente ficou muito amigo e não se desgrudou mais", conta.

No começo dos anos 1990, o Doctor Reggae fazia o programa *Disco Reggae* ao vivo na Band FM. O reggae estava aumentando seu séquito de fãs por meio de surfistas que viajavam para o Havaí e os Estados Unidos. Tocando até nas rádios mais comerciais, artistas como Pato Banton e Alpha Blondy começaram a aumentar a fama do gênero no Brasil. Com o mercado de olho no crescimento do ritmo jamaicano, Otávio procurou a casa de shows Aeroanta com a proposta de criar a "Disco Reggae Night, uma noite dedicada à música jamaicana". A festa bombou e se transformou na noite mais concorrida do Aeroanta.

Enquanto isso, Sonia apresentava as Ondas Tropicais agora na rádio *Brasil 2000* FM e estava planejando mudar de ares profissionais. A rádio ambulante havia rendido muitas alegrias por quase uma década, mas, como é de sua natureza, Sonia precisava se renovar.

"Aí eu falei pra ela: 'Por que você não faz uma noite também no Aeroanta?'. Já que você quer fazer algo diferente do que fez na 89 FM, seria uma boa montar uma banda", lembra Otávio sobre o pitaco que deu à amiga.

Como dizer não a um conselho desses?

CAPÍTULO 18

O SOM DO QUARTO MUNDO

Estreia da Banda do Quarto Mundo em 1990 no Aeroanta

Sonia curtiu a ideia de Otávio. Formar uma banda para apresentar um espetáculo de world music naquele momento soava como um desafio à altura de sua criatividade e disposição. Faltavam um nome e uma boa ideia de marketing.

Otávio adorava falar que a música que ele mais amava era a do Terceiro Mundo, fazendo referência aos países pobres ou em desenvolvimento, que na maior parte das vezes têm uma cultura musical ímpar. O samba, choro, forró, maracatu brasileiros, o reggae jamaicano, a salsa caribenha e cubana, o tango argentino, o mariachi mexicano são alguns belos exemplos.

"Quem liga para esses estereótipos? A gente estava em outra. Nós estávamos além, estávamos no Quarto Mundo sonoro, que abraçava a todos. Essa era uma brincadeira entre nós. E da brincadeira pintou o nome Quarto Mundo. Em seguida, ela chamou os melhores músicos do pedaço e formou uma banda", descreve Otávio. "O que poderia ser melhor para nomear um projeto que misturava música eletrônica, reggae, rock e world music do que um nome tirando sarro de preconceitos? A tecnologia do Primeiro Mundo somada à criatividade do Terceiro Mundo; bem-vindos ao Quarto Mundo", esmiúça a DJ.

Na rádio Brasil 2000, a DJ acrescentou a ideia à sua marca registrada já famosa pelos quatro cantos, e seu programa de world music passou a se chamar *Ondas Tropicais – A Música do Quarto Mundo,* indo ao ar diariamente. Na pegada de tocar música do mundo todo, o programa de Sonia tinha a companhia dos programas *Satélite,* da Cultura FM, e *Exploratório,* da Eldorado FM. "Nessa época, os artistas mais tocados nos programas do gênero eram o japonês Ryuichi Sakamoto, o argelino Cheb Khaled, o francês MC Solaar, o rapper italiano Jovanotti, além dos mais manjados Paul Simon, Peter Gabriel e David Byrne", lista a DJ.

Quarto Mundo seria o nome escolhido para a noite de Sonia Abreu no Aeroanta.

Só que uma banda como aquela com que a DJ sonhava para sua noite não existia dando sopa por aí. Então, lá foi ela montar um conjunto.

Sonia usou seu caderninho de contatos e em pouco tempo havia reunido alguns dos melhores músicos do país, todos a fim de entrar de cabeça no conceito formatado por ela. Quando a DJ se deu conta, já havia mais de uma dezena de artistas alistados para a Banda do Quarto Mundo. Entre músicos e bailarinos, a formação oficial da banda tinha 25 pessoas.

A nova *bandleader* do pedaço reuniu, então, seu time da pesada para compor as Noites do Quarto Mundo às quartas-feiras, no Aeroanta. Entre idas e vindas, foram recrutados para a missão o maestro e saxofonista Zezinho Mutarelli, o futuro marido, o baterista Jorge Brother, o baixo de Nadinho Feliciano e Luisão Maia, as guitarras de Edu Nader e Fernando Piu, os teclados de Cecília Meireles, o saxofone de Jean Arnoult (que toca hoje na banda de Jorge Ben Jor), o trompete de Faria e o trombone do famoso Bocato, além de Jean Garfunkel, saxofonista que chegou a integrar a banda de Elis Regina. Na percussão estavam Claudio Peppe e Gil Collins.

Com o vocalista Clé Ferreira e a Banda do Quarto Mundo em show no Dama Xoc

O time de vocalistas era composto por Laura Finocchiaro, Ana Amélia, Cherry Taketani (que era da banda Okotô), Eloá, Fernando Figueiredo (que fez sucesso com a banda Luni ao lado de Marisa Orth e Theo Werneck), Clé Ferreira (da banda de reggae Walking Lions), a cantora lírica Marilu, Cosmo di Perna e, claro, Sonia Abreu, que soltava a voz à frente da banda.

Essa extensa trupe contava ainda com seis dançarinas afro, e esporadicamente com a amiga de Sonia, agora famosa, Regina Shakti, nas performances de dança ligadas ao Oriente.

Músico reconhecido por compor trilhas sonoras de filmes e programas da TV Cultura, André Abujamra foi o escolhido para ser o produtor da banda, mas teve um desentendimento com Clé Ferreira e abandonou o projeto. “Para exorcizar o episódio, André, quando saiu do estúdio, fez a música ‘O Mundo’, e gravou pouco depois com a banda Karnak, fundada por ele”, conta Sonia.

♪♩ O mundo é pequeno pra caramba
Tem alemão, italiano e italiana
O mundo filé milanesa
Tem coreano, japonês e japonesa
O mundo é uma salada russa
Tem nego da Pérsia, tem nego da Prússia
O mundo é uma esfiha de carne
Tem nego da Zâmbia, tem nego do Zaire
O mundo é azul lá de cima
O mundo é vermelho na China
O mundo tá muito gripado
O açúcar é doce, o sal é salgado
O mundo caquinho de vidro
Tá cego do olho, tá surdo do ouvido
O mundo tá muito doente

O homem que mata, o homem que mente
Por que você me trata mal
Se eu te trato bem ♪♩

Luiz Bueno, do Duofel, foi o produtor que conduziu os ensaios da banda, e os arranjos ficaram a cargo do premiado Zezinho Mutarelli. Na gravação do CD, que foi lançado pelo selo Eldorado em 1992, a produção é assinada pelo fantástico Dino Vicente, uma das maiores autoridades em sintetizadores no Brasil.

"Era uma banda enorme, com muitos metais, muitos vocais. Gravamos no (estúdio) Mosh, acho que em fita. A banda estava ensaiada, tinha uma boa noção do que fazer. A minha concepção como produtor foi captar o máximo da vibração da banda como era, já que o grupo já tinha um caminho bem definido. A música 'Bolero de Ravel' ficou bem viajante. Olhando agora, acho que o resultado ficou muito à frente do tempo", avalia o produtor Dino Vicente.

"Na estreia, eu toquei bateria na Banda do Quarto Mundo, no show do Aeroanta. Me deram mole porque eu ia aos ensaios, mas claro que eu não poderia ficar por muito tempo. A banda era inteira profissional. Aí eu ajudei com ideias, como misturar músicas, algo meio *mashup*, colocar 'Bolero de Ravel' com riddim (bases) de reggae, por exemplo. E aquela onda progrediu muito", afirma o Doctor Reggae.

"Eu me convidei para participar da Banda do Quarto Mundo porque estava à procura de um projeto ousado musicalmente. A Sonia sempre arrasou, e eu adorava o programa *Ondas Tropicais,* na Brasil 2000. Era totalmente diferente do que havia nas rádios da época. A Sonia é a rainha da world music, e a Banda do Quarto Mundo foi um grupo à frente do seu tempo. Tudo aquilo era muito divertido", resgata na memória o vocalista Fernando Figueiredo.

A Banda do Quarto Mundo foi marcada por fortes emoções – quem mandou juntar tanto músico num grupo só? "Acabei me envolvendo com o baterista, o Jorge Brother. Nós ficamos juntos por oito anos. Minha mãe o adorava. No período em que ela adoeceu, o Brother foi muito importante. Ele era a única pessoa que conseguia acalmá-la", conta Sonia sobre o relacionamento, que também renderia muito revés.

Apesar de bons músicos e da liderança de Sonia, a Banda do Quarto Mundo ainda precisava de uma estrutura melhor para dar conta do tamanho das apresentações propostas e para as gravações. A solução veio naturalmente, graças ao bom relacionamento da discotecária.

"Quando a banda estava bem no comecinho, eu tirei uns quinze dias para relaxar em um passeio de barco em direção a Angra dos Reis com a Regina Shakit, Paulo Maluhy e Luiz Alberto Silveira. Eu contei para o Paulo que estava montando uma banda. Ele sempre foi um músico enrustido e toca percussão muito bem. Aí ele se empolgou com a ideia e, além de compor o time de instrumentistas, resolveu patrocinar a banda", explica Sonia sobre a entrada do amigo Paulo Maluhy, dono da rede de restaurantes América. O aporte estruturou financeiramente a banda de forma considerável.

"Alguns músicos não tinham instrumentos bons, apesar da qualidade de todos. Aí compramos o que era necessário. Toda semana a gente alugava um estúdio para ensaios e gravações. Claro, tínhamos aquelas coisas que toda banda tem: ciúme, egos nada comedidos, pequenas brigas, mas, no final das contas, rolava muita diversão, boa música e neblinas homéricas nos camarins", testemunha Paulo.

Além de mestre de cerimônias e *bandleader*, Sonia se tornou a mãe da big trupe, aconselhando os membros e zelando para que todos estivessem nas melhores condições possíveis. Paulo Maluhy passou a remunerar os músicos. A ideia era que todos se dedicassem integralmente à banda. Foram três anos tocando no Aeroanta, grandes turnês em São Paulo, Curitiba e Guarujá, encontros com astros internacionais da música e um CD single gravado em 1992, lançado pela Eldorado, com arte de capa assinada pelo badalado designer Rafic Farah. No registro, com duas músicas e um remix, destaca-se o arranjo pra lá de versátil com direito a uma língua inventada pelo grupo na letra de "Bolero de Ravel", além de "Beautiful Day", mashup de Jorge Ben Jor e Burning Spear.

"Olhando pelo ganho pessoal do projeto, Sonia conseguiu exercer toda a maternidade dela na Banda do Quarto Mundo, porque não é nada fácil liderar e cuidar das expectativas de duas dezenas de músicos", decreta Paulo.

"Além disso tudo, não é para qualquer banda ter o privilégio de dividir palco e ideias com ícones da música, como Jimmy Cliff, Margareth Menezes, Yellowman e Manu Dibango", conclui. Nenhum projeto de Sonia sai da cartola para fazer feio.

CAPÍTULO 19
IT'S A GRINGO AFFAIR

Com o cantor americano Billy Paul
no lobby de hotel em São Paulo

A música foi a amante constante de Sonia. Ela estava junto, de mãos dadas, nas alegrias e nas tristezas. Mas isso não quer dizer que ela não tivesse casos pra lá de interessantes com seres humanos também.

"A Sonia é uma figura andrógina, meio David Bowie, sabe? As pessoas ficavam em dúvida se ela era homem ou mulher, e mesmo assim, ou por isso mesmo, ela conservava um lance magnético, um poder de sedução muito forte. Curioso é que ela tem momentos de fragilidade emocional e, ao mesmo tempo, uma determinação absurda. Essa dualidade da Sonia deixava todo mundo encantado e rendia muitas histórias de paixonites e um bocado de novas amizades", comenta o amigo Otávio Rodrigues.

Paulo Maluhy recorda o grande encontro transcendental com um dos maiores astros do reggae, o jamaicano Jimmy Cliff. "Em 1993, ele ia fazer um show numa cidade no interior paulista. Sonia, Brother e eu éramos superfãs do cara e entramos numa piração de abrir o show dele no Palace, que era a casa de shows do momento em São Paulo. Por que não? Nossa banda era bacana, e me passaram as coordenadas de onde o Jimmy iria se apresentar. Não deu outra; pegamos o carro e fomos atrás dele. Chegando ao lugar, primeiro falamos com o staff dele. No camarim havia um verdadeiro banquete de frutas e muita, muita, mas muita *cannabis*. Eu cheguei pro roadie e falei: '*Hello! We are Brazilian musicians and we have a band. We would like to open for Jimmy Cliff in São Paulo*'. Ele deu uma risadinha e não deu muita bola, mas insistimos: '*Please, can we talk to Mr. Cliff?*'. A insistência funcionou, e ele nos levou para bater papo com aquele homem negro de boina jamaicana, óculos escuros, cercado de muitas pessoas. Nós nos sentimos mais fãs do que músicos naquele momento, mas tínhamos que dar sequência ao plano. Para a nossa alegria, Cliff não tinha nada de ego inflado e nos deu muita atenção. '*Do you want to open the show in São Paulo? Okay, come on, guys*'. Assim, nessa simplicidade, conseguimos", descreve Paulo.

No dia seguinte, Brother, Maluhy e Sonia voltaram para São Paulo e comunicaram à banda e à organização do Palace a grande novidade: a incrível Banda do Quarto Mundo abriria um show de Jimmy Cliff.

"A equipe do cara era toda americana. Chegamos naquele bando de 23 músicos brasileiros, mais dançarinos e equipe, todo mundo cheio de equipamento. Para os desavisados poderia até parecer que o show principal era o nosso. Os roadies do Jimmy Cliff deviam estar pensando: '*Oh, God! Mr. Cliff is crazy! Look at this band!*' (risos). Eu sei que o staff do jamaicano não deixou a gente usar nossos instrumentos. Usamos os equipos do próprio Cliff. Quando entramos, lembro da Sonia, zen, anunciando a banda, e daquela fumaça que passou dos camarins e chegou até o público. Foi uma noite incrível", conta Paulo Maluhy. "Eu me lembro de poucas coisas desse dia. O beque era dos bons", Sonia tenta recordar os detalhes, sem sucesso.

A Banda do Quarto Mundo abriu para outro ícone do reggae em São Paulo, o DJ jamaicano Yellowman, um dos pioneiros do dancehall, a vertente mais eletrônica do reggae, fundamentada em baixo e bateria eletrônica – em resumo curto e grosso.

"Eu gostava de ficar amiga dos caras (gringos que visitavam o Brasil). Com o Yellowman foi assim: ele veio pra São Paulo, e eu conhecia o Arnaldo Waligora, que era dono do Projeto SP, uma casa de shows de médio porte onde as bandas gringas mais hypes se apresentaram nos anos 80 e 90. Ele chegou uns dias antes da apresentação, e a Banda do Quarto Mundo ia abrir o show. Ficamos amigos, e ele acabou indo dormir na minha casa. Mas juro que não dei pra ele", diz Sonia.

Outro que pernoitou "na amizade" na casa da DJ foi o guianês Ras Benji. "Eu sou maluca com limpeza. Morava em Pinheiros num apê pequeno, mas uma graça. Daí eu chego em casa e pego o camarada lavando os dreadlocks, que iam até o joelho, na pia da cozinha. Quando eu vi aquilo, quase morri", lembra Sonia, que reagiu com um "cê tá louco, caralho?".

Em 1990, no comando do programa *Ondas Tropicais* pela Rádio Brasil 2000, Sonia participou da coletiva de imprensa da banda The Wailers em São Paulo e ficou encantada com o percussionista cubano Alvin "Seeco" Patterson, o guru que deu o andamento do reggae a Bob Marley.

O percussionista, na época com mais de 60 anos de idade, com falta de dentes e manco de uma perna, correspondeu ao interesse daquela mulher alta e estilosa. Sonia engatou um romance com o músico e se tornou uma verdadeira guia turística para o guru-mor do reggae na cidade.

Depois de São Paulo, The Wailers se apresentariam com Gilberto Gil e os Paralamas do Sucesso na inauguração da Pedreira Paulo Leminski, em Curitiba.

"Marcamos de ir até lá pra ficar com ele. Cheguei de manhã e fui pro quarto dele. A gente ia finalmente concretizar nosso romance. Quando eu fui pra cima, reparei que ele estava com o rosto todo torto. Eu me assustei e fui buscar ajuda: help! help!, eu gritava. Fui procurar o Junior Marvin, que era guitarrista. Patterson foi socorrido e diagnosticado com aneurisma. Não dava nem pra transportar de UTI pra Miami. Daí o Gilberto Gil mexeu uns pauzinhos, e ele foi operado em Curitiba mesmo. Teve uma recuperação surpreendente. Em três horas ele já estava acordado e mandou me chamar. A essa altura eu já era a madame Patterson.

Com Alvin "Seeco" Peterson, guru de Bob Marley, no Projeto SP, nos anos 1990

Logo ele pediu pra fumar um – conseguimos uma autorização pra ele fumar discretamente no hospital. No dia seguinte, com ele de cabeça enfaixada, fomos pro jardim do hospital fumar um e apareceram uns médicos pra pedir uns pegas", lembra Sonia.

"Saímos do hospital e fomos pra casa de um amigo, o saudoso Geraldo Carvalho, um dos embaixadores do reggae no Brasil. Uma noite eu fui a uma casa noturna e, quando voltei, ele estava com um facão me esperando, porque tinha ficado com ciúme. Fui embora no dia seguinte", lembra a DJ.

Sonia sabia que tinha tido apenas um lance com o músico, mas acabou se apegando ao veterano do reggae e ficou frustrada, pois a história havia terminado mal.

"Um dia eu entrei no estúdio da Rádio Brasil 2000, e ela estava chorando por causa da partida do Seeco. A gente não entendia isso muito bem, afinal o cara não era lá um tipo atraente. Mas as afinidades musicais aproximaram o cara da Sonia, e o coração tem dessas coisas mesmo. Por isso comprei uma passagem para que ela o visitasse na Jamaica", conta o generoso Paulo Maluhy.

A alegria tomou conta de Sonia, que teve a oportunidade de voltar à Jamaica, terra de muitos dos seus ídolos musicais, e rever sua paixão.

"Ele era casado e tinha outras mulheres na Jamaica, como é comum na ilha. Tanto que a gente foi num hotel lá, e a recepcionista era neta dele. E foi tudo normal para eles", conta a DJ. "Foi uma delícia", finaliza.

Outro encontro curioso e engraçado da interminável lista de amigos astros gringos rolou com o saxofonista camaronês Emmanuel "Manu" Dibango. O artista conquistou o mundo em 1972 quando foi descoberto pelos DJs da disco music de Nova York, que se apaixonaram pelo groove do africano. A música "Soul Makossa" rompeu barreiras com o seu conhecido refrão "ma-mako, ma-ma-sa, mako-makos-sa".

Otávio Rodrigues conta que o músico veio ao Brasil em 1987 para fazer um show no Projeto S. Doctor Reggae trabalhava na revista *Trip* e chamou Sonia, a parceira de rádio, para tentarem conhecer o músico. "Fomos parar no backstage. Quando vimos o nosso ídolo, a identificação foi imediata", conta o jornalista.

No segundo dia de apresentação, Otávio e Sonia arrastaram o astro para a Rádio 89 FM na parte da tarde e, à noite, após o show de Dibango, foram parar no Aeroanta, em Pinheiros. Intimidade relâmpago em estado bruto!

Naquela noite estava rolando o show de Skowa e a Máfia, banda paulistana de música brasileira com forte influência de gêneros africanos. Ali, o trio e membros da banda do camaronês jantaram e ficaram maravilhados com o astral da banda brasileira. Tanto que alguns músicos da banda de Dibango subiram ao palco para acompanhar Skowa.

Na mesa, Otávio puxava assunto com o ídolo sobre reggae, África, Jamaica, Brasil e música em geral. Dibango contava para o jornalista sobre os ícones do reggae com os quais ele já tinha gravado, mas a verdade é que o músico camaronês estava deslumbrado com Sonia. Desinteressada no músico, no sentido bíblico da coisa, Sonia chamava a atenção do amigo: "Otávio, ele tá de coisa comigo". O Doctor Reggae – para decepção de Dibango e alívio de Sonia – se manteve firme segurando vela durante o show.

No fim da noite, Sonia e Otávio deram carona para Dibango, que estava hospedado no Hilton Hotel. O trio entrou no quarto para fumar unzinho. "O momento estranho ou constrangedor da noite foi quando ele me pediu para ajudá-lo em um alongamento na perna. Eu disse: 'Que é isso, cara, sou espada'. O nosso inglês estava precário, e a comunicação não estava aquela coisa. Dibango foi me explicando e entendi que ele não estava com segundas intenções. Aí eu ajudei no alongamento, e a Sonia se acabou de rir de mim, entre um goró e outro", lembra Otávio sobre a noite com o ídolo.

Manu Dibango voltou a São Paulo em 2016 e a dupla fez questão de revê-lo. "O encontro com Dibango nos anos 80 foi algo muito especial para a gente, mas a real é que ele não se lembrava de nós. Imagine, ele deve ter noites iguais àquela sempre, em vários países, com os mais diferentes tipos de pessoas. Mas tudo bem. Foi uma grande história", finaliza Otávio.

Talvez um dos primeiros encontros de Sonia com um ídolo da música tenha sido com Billy Paul, o mais famoso intérprete do hit "Your Song", de Elton John. Ela devia ter 19 anos. "Fui entrevistá-lo no Hotel Saint Rafael, no centro de São Paulo, onde os artistas gringos ficavam. Eu trabalhava na Excelsior. Ele ficou com graça comigo, pediu pra eu ficar com ele depois da entrevista. Aceitei tomar um drinque e ele ficava tentando graça. Mas eu não dei trela. Eu era muito tímida e fiel ao meu romance com o Antonio Celso", lembra.

CAPÍTULO 20
A MÃE DA MÃE

Com a mãe, já debilitada pelo Alzheimer,
no casarão da Rua Antonio Bento

Jorge Brother, baterista da Banda do Quarto Mundo, foi companheiro de Sonia por oito anos. Em setembro de 1990, ele se mudou para o apartamento em que a DJ morava em Pinheiros. "O Brother era um cara muito tranquilão, e isso completava a Sonia, que sempre foi muito agitada, ainda mais na época da banda", explica o amigo do casal, Paulo Maluhy.

Dr. Abreu, pai de Sonia, faleceu em 2002, algum tempo depois que sua filha do segundo casamento, Renata, morreu num acidente de carro. "Ele morreu de tristeza", lembra Sonia. Já internado, dr. Abreu não conseguia falar muito. Antes de falecer, pediu a presença de Sonia na UTI. Ao se despedir, ela ouviu as prováveis últimas palavras do médico que dedicou a vida a cuidar da saúde dos pobres. "Eu sei que vou morrer hoje, Sonia Maria. Eu te amo", disse, para logo depois partir.

Nessa época, a mãe de Sonia já não discernia as coisas. Estava com morte cerebral devido ao mal de Alzheimer e de Parkinson. Na casa da Rua Antonio Bento havia uma míni UTI no segundo andar. "E não tínhamos plano de saúde", conta a DJ.

"Na época em que cuidei da minha mãe, eu estava na Banda do Quarto Mundo e fazia um tempo que não via regularmente a minha família. Eles não me aceitavam. Eu me dava melhor com minhas avós, com minha madrinha Nena e com meus primos, desde sempre. Em 1990, eu tinha acabado de me juntar com o Brother e, na nossa primeira noite juntos em casa, recebo a ligação da minha prima dizendo que eu tinha que retornar à casa onde passei minha infância porque minha mãe não estava nada bem. É óbvio que fui vê-la. Quando cheguei, ela já estava dopada", diz Sonia.

"Não é fácil. Quando eu conheci a Sonia na casa de uma amiga em comum, a Isabelle Tuchband, no ano 2000, nós nos identificamos de cara. Dois adoradores de marijuana com bom humor. Ela me contou que sua mãe estava acamada fazia um tempo, e a conversa foi para o lado da medicina", lembra o amigo médico Robério Carneiro, que acompanhou a luta da DJ para dar o melhor tratamento para dona Aduzinda. "Se você quiser, eu te ajudo nos cuidados", ofereceu o novo amigo. Sonia aceitou de imediato.

Dona Aduzinda teve uma série de complicações durante o tratamento. Como é comum em pacientes acamados, ela desenvolveu úlcera de pressão, conhecida como escaras ou feridas na pele, pneumonia, teve inúmeros problemas com a sonda nasal. Robério ajudava nas trocas de sonda, nas receitas de medicação, e orientava nos cuidados específicos.

"Era um trabalho árduo. Sonia cuidava de toda a logística: dava banho, orientava as cuidadoras, arrumava o cabelo, maquiava a mãe, deixava o quarto limpinho. Cuidou dela de forma impecável, e sua fé poderosa permitiu que ela aguentasse esse tranco", relata Robério.

"Nem sei responder quando me perguntam de religião, na verdade. Eu gosto de Jesus e me encontrei melhor no espiritismo. No Sai Baba eu ia toda semana quando minha mãe estava doente, pra pegar aquele pozinho para passar nas feridas dela. Já fui ao Hare Krishna com a Regina Shakti. E também sempre tenho Gilberto Gil no coração, quase como uma religião; ele é meu guru", enumera a DJ.

A banda, a rádio e a fé espiritualizada traziam algum consolo a Sonia, mas com o passar do tempo houve momentos de profunda angústia. "Às vezes, pegava o carro e saía gritando na Paulista: 'Jesus, me ajudeeee'. Gastava uns R$ 10 mil por mês. Onde eu ia conseguir mais dinheiro para mantê-la? Era muito difícil. Sofrido. Eu mantinha o salário de três enfermeiras", lembra.

Jorge Brother convenceu Sonia a vender o apartamento de Pinheiros para comprar caixas de som e uma perua para retomar a rádio ambulante. Ela chegou a comprar uma Towner, fez as adaptações necessárias no carro, comprou equipamento de som e reestreou na Praça do Pôr do Sol e no Parque Ibirapuera. "Mas já não era mais a mesma coisa, e eu não tinha mais energia para aquele trabalho."

A venda do apartamento contra a sua vontade foi a gota d'água para um relacionamento já desgastado. "O Jorge ficava chateado porque estava sem grana, sem banda, e quando chegava a lua cheia dava um piti nele e ele quebrava tudo. Numa noite, descontrolado, ele começou a jogar os objetos da casa da minha mãe na rua. Eu falei: 'Acabou, bicho'. Perguntei: 'Pra onde você quer ir?'. Ele falou: 'Pra Alemanha'. Eu comprei uma passagem, e ele foi. Nunca mais o vi."

Depois de 20 anos doente, 18 deles vivendo em estado vegetativo, dona Aduzinda cerrou definitivamente os olhos ao meio-dia daquele 22 de setembro de 2007. Era um sábado, e Sonia tinha sido contratada para tocar numa festa na casa de Henrique Meirelles, presidente do Banco Central na época e atual ministro da Fazenda. "As obrigações de trabalho a gente precisa cumprir. Infelizmente minha mãe já tinha partido. Preparei tudo, colocamos minha mãe no caixão e fui fazer meu trabalho", lamenta. Com a festa bombando, ela chegou até a esquecer da tristeza por alguns instantes. Quando chegou em casa, às 5 da manhã, foi velar a mãe com os familiares. "Foi o sentimento mais louco da minha vida", descreve.

Com o médico e amigo Robério Carneiro,
que ajudou Sonia a cuidar da mãe no fim da vida

Robério estava na casa havia uma semana, esperando a dona morte chegar. Ele fez o atestado de óbito. "Sempre é triste, mas ela estava sofrendo e conseguiu descansar. A casa ficou com muitas lembranças da família, e Sonia me convidou para morar com ela. Nós nos tornamos grandes amigos e acabamos morando juntos por mais ou menos um ano e meio", conta o médico.

Passado o vendaval de emoções com a morte da mãe, o rompimento com Jorge Brother e o fim da Banda do Quarto Mundo, Sonia e Robério criaram em torno de si um cotidiano mais divertido.

"A mulher acordava cedo, ia pra ginástica, depois ficava no estúdio até terminar suas gravações e planejamento. Sonia tinha uma rotina artística muito legal", conta Robério. "A gente se divertiu muito, ia ao cinema, teatro e era sempre hilário. Ela dormia com a bocona aberta, até babava. E quando roncava, então? Só faltava me esconder embaixo da cadeira", dedura o amigo entre gargalhadas.

Um dos rolês com Robério, num domingo de Parada Gay, quase termina em tragédia. Os dois foram a uma festa na casa do Almir Soares, com vista para a Avenida Paulista. "Estava uma delícia. Na hora de ir embora, entramos no elevador, mas eu fiquei preocupada porque entrou muita gente. Achei que o elevador ia cair. E não deu outra. O elevador começou a despencar. Comecei a rezar, fiquei preocupada porque minha mãe ainda era viva, pensava 'quem vai cuidar dela?'. A gente foi caindo até que deu aquela batida no fosso; foi horrível. Ficamos duas horas esperando os bombeiros, depois fomos içados um a um. Fiquei com a cara toda preta de fuligem, nenhum táxi queria me aceitar, fiquei parecendo uma assombração", relata a quase tragédia que virou comédia.

SOBRENOME: DOAÇÃO

Sonia segue com o hábito de ajudar as pessoas. Sua abnegação vai além dos cuidados que teve com a mãe, amigos e ex-maridos. A começar pela música, ela abriu mão de toda a sua coleção de discos. Fez uma doação de 22 mil vinis para um sebo.

“Ela me apresentou à boate do Nelson Motta, que abriu meus horizontes como DJ e ajudou a banda Verminose. Além de manjar tudo de música, Sonia é muito generosa, não tem receio de dividir sua sabedoria”, elogiava o companheiro de 89 FM, Kid Vinil, falecido em maio de 2017.

“Não é fácil se manter como DJ. Eu já passei por muitos perrengues, e ela sempre foi bacana comigo. Um dia ela chega com um Macbook e diz: ‘Pega esse Mac pra você, Robertinho, e volte a fazer a sua arte de DJ’. Isso não tem preço”, emociona-se o parceiro da Papagaio Disco Club.

ASSISTENTES DO BEM

Os assistentes de Sonia também se deram bem na convivência de trabalho. Paulo Recycle era um menino que dormia dentro da banca de jornal em que trabalhava. Depois que começou a auxiliar Sonia, Paulo ganhou experiência e acumulou conhecimentos com a veterana, tornando-se um DJ requisitado no mercado de festas. “Paulo merece. É um cara bom, não faz fofoca, sempre na dele. Quem ajudou o Paulinho primeiro foi o Fernando Figueiredo, cantor da Banda do Quarto Mundo e da Luni. Foi ele quem nos apresentou”, conta Sonia. Fernando e Sonia abriram portas para o crescimento do DJ, que hoje trabalha como assistente de Milton Chuquer, um dos mais famosos e bem remunerados DJs do mercado de festas. “São 20 anos de convivência, fizemos muitos eventos, virou um grande amigo meu”, elogia Sonia.

Seu outro assistente, o DJ Ezê Mattos, também está com Sonia há 20 anos. “Foi ele que comprou o equipamento da Towner da última rádio ambulante. A gente tem uma sintonia bacana junto. Ele não bebe, não fuma, é capricorniano como eu. Aliás, fuma, sim. A fumaça da maconha que eu fumo, por tabela. E diz que não fica louco.”

Sonia Abreu estuda e faz trabalhos voluntários há 20 anos no Centro Espírita Casa do Caminho, na Vila Mariana, em São Paulo. Ela afirma que se sente bem em qualquer lugar onde exista conexão com Deus e Jesus. No Centro, ela toma conta da cozinha: assa salgados, arruma a mesa do restaurante, varre o chão e faz o que for preciso. "Fazer esse trabalho é vital para a minha energia, além de tocar", confessa.

"Estou fazendo a minha poupança espiritual. Eu trabalho no forno. É foda. Faz 60 graus lá dentro. A gente tem que trabalhar aqui pra viver a outra vida bem também", anote mais este ensinamento de Sonia Abreu.

Sonia e seus assistentes Paulo Recycle (à esquerda) e Ezê Mattos

CAPÍTULO 21
ARROZ INTEGRAL NO BIG BROTHER

Sonia mostra à Ana Maria Braga como se faz pose de DJ

Robério saiu da casa e Sonia manteve o lar impecável, agora já sem cara de UTI e com sua pegada. Tudo no seu devido lugar e cheirando a incenso. Há muito tempo a DJ não morava sozinha e passou a curtir a ideia novamente. A amiga artista plástica e decoradora Isabelle Tuchband fala sobre as delícias de visitar Sonia Abreu. "A gente era vizinha. Ela sempre foi generosa mostrando músicas novas para todos. Fui muitas vezes à casa dela quando reunia os amigos para ouvir música, principalmente nos aniversários. Quando ela se mudou para o apartamento em que mora atualmente, fui eu que decorei, utilizando os meus conhecimentos de Feng Shui e aspectos que ela valoriza bastante na casa, como flores e enfeites ligados ao feminino, lembranças dos Mutantes e quadros de cunho espiritualizado. É bastante aconchegante", descreve.

Frequentadora de restaurantes vegetarianos e macrobióticos e com momentos de masterchef na cozinha quando sobra um tempinho, Sonia usa sua criatividade para criar pratos. Entre suas especialidades estão o Arroz Quarto Mundista (arroz ao curry com legumes) e o Macarrão Celestial (à base de pasta de gergelim).

"Numa festa do Paulo Maluhy em Ilhabela, Sonia passou um pequeno aperto por ser vegetariana. Normalmente ela se vira, nunca passa fome. Nesse dia ela foi procurar comida na cozinha e tinha apenas um pote com biscoitos. Ela não sabia do que se tratava e comeu. Era biscoito pra cachorro", Isabelle se diverte ao contar.

Na atual rotina, do alto de suas 65 primaveras, Sonia conta que adora trabalhar com jovens. A DJ testemunhou as muitas modificações tecnológicas pelas quais a música passou: da vitrolinha Philips que arrastava nas viagens com a família, passando pelo gravador de rolo Akai, depois fita cassete, CD, chegando aos computadores e softwares. Atualmente, seu setup consiste numa controladora Pioneer XDJ R1 ligada no Traktor e um MacBook Pro. Contando o que tem na sua máquina e mais um HD externo, ela tem mais de 14 mil músicas na manga. "É pouco, né?", ela diz, gulosa.

A mixagem, que acompanha a vida dos discotecários desde os anos 1970, foi assimilada na marra. "Demorei dois anos para observar ondas musicais no computador, 'ver a música'. Hoje eu consigo mixar até sem o fone. Mas foi difícil aprender. Os meninos que tocam comigo, Ezê e o Paulinho, que me ensinaram. Em muitas festas eles colocavam a música no ponto para que eu fizesse a mixagem. Era tudo corte seco antes. Eu lembro que o Robertinho mixava muito bem, e eu não queria fazer feio. Aprendi nos anos 90. Antes eu morria de medo. Mas eu sou assim: meto a mão e aprendo. Hoje eu domino o computador. Seguro uma pista com 5 mil pessoas sem pestanejar. Precisa ter *feeling*", ensina.

Já faz um tempo que Sonia é *habituée* de programas de TV. Já cogitou inclusive participar de um *Big Brother* para usar a bufunfa de um eventual prêmio para reformar a casa da mãe. "Peguei um vídeo de uma entrevista que dei à TV Cultura e mandei pra Globo. Eles me chamaram para uma entrevista no Projac. O táxi nos levou para um hotel na Barra e ficamos confinados. Um participante não podia conhecer o outro. Havia uma bancada avaliadora, e entre os membros estava o Boninho. Um deles comentou: 'Você disse que só participaria do BBB se na casa tivesse arroz integral e livros, foi isso?'. Eu respondi que sem o meu arroz integral não ia dar. Eles encresparam, e eu não fui selecionada. No fundo foi bom, eu não teria saco pro *Big Brother*", lembra.

Ela passou pelos portões do Projac outras vezes. Participou do programa *Mais Você*, de Ana Maria Braga, *Amor e Sexo,* de Fernanda Lima, e deu uma entrevista hilária no programa do Jô Soares.

INTERNÉTICA

Sonia passa o dia na internet. "Quando não estou montando trilha, fico pesquisando na internet pra descobrir coisas novas", conta. "Vou ver as pessoas tocarem, ouço bastante rádio, sigo alguns sites, entro no Beatport e saio ouvindo tudo, compro tudo que gosto. Adoro sair pra ver o Marky tocar. Saio de casa à uma da manhã pra ver o cara no Lab Club (pequeno clube na Augusta, em São Paulo). Isso pra mim, que durmo às 20 horas, é sinal de muita dedicação. Ele entra às duas, duas e meia da manhã, e eu aguento firme", conta. Entre outros DJs que ela curte ouvir estão Milton Chuquer, Andy, Otávio Rodrigues, Rica Amaral, Patife, Ramilson Maia, Leonardo Ruas, Felipe Venancio, Angelo Leuzzi, Edu Corelli e Lisa Bueno.

Com o DJ Marky, que se tornou um grande amigo, com quem Sonia troca arquivos musicais

"Eu adoro redes sociais, mas numa boa. Eu uso o Facebook e o Instagram para divulgar meus trabalhos, não para competir com agendas de DJs mais jovens, como o Paulo Recycle, Marky, entre outros. Claro, eu fico de olho em quem está me acompanhando, quem está curtindo o que eu faço", conta.

Marky é só elogio para a amiga DJ: "O mais legal foi a conexão dela com o drum 'n' bass. Ela me viu tocando e pirou com as músicas. Sempre mando várias faixas pra ela. Ela começou a ir ao Lab, e a molecada perguntava quem era ela, e eu explicava. De repente estava todo mundo cercando a Sonia. Agora, quando ela vai lá, é uma celebridade. Os produtores adoram a Sonia, mandam tracks pra ela também. Acho que isso é legal porque, sem querer, ela conseguiu ter o respeito de todas as tribos. Isso é muito importante nos dias de hoje, porque as pessoas não dão muito valor ao passado. Dizem que o brasileiro não tem memória. Mas tem muita gente que tem. O que eu puder fazer pra ajudar a Sonia eu vou fazer, porque ela é demais".

CAPÍTULO 22

O DIA DO DJ

Ao lado de seu Osvaldo Pereira, primeiro DJ do Brasil, em frente à Assembleia Legislativa de São Paulo em 4 de maio de 2015, dia do ato solene em que foram homenageados. Foto: Gabriel Quintão

Imagine dedicar 50, 60 anos de sua vida exercendo uma profissão com amor, sabendo que lá na frente a tão sonhada aposentadoria nunca chegará. Mesmo assim você continua firme na sua atividade com absoluta competência e paixão. Apesar de serem reis e rainhas das festas, os DJs ainda lutam para ter reconhecimento profissional no Brasil.

Se por um lado o direito de ter uma carteira de trabalho assinada ainda lhes é negado, por outro há honrarias que vão além de aparecer em programas de TV e em notícias de jornais. São Paulo, talvez o estado da União com mais DJs por metro quadrado, tem seu próprio Dia Estadual do DJ, celebrado em 9 de março desde 2016, ano em que entrou oficialmente para o calendário da Assembleia Legislativa de São Paulo.

A movimentação para fincar a bandeira do DJ como data comemorativa começou um ano antes, mais exatamente no dia 4 de maio de 2015, com ato solene na Assembleia Legislativa organizado pela deputada Ana do Carmo, do PT.

A cerimônia tinha como intuito condecorar duas das figuras mais ilustres da profissão no país: os pioneiros Osvaldo Pereira e Sonia Abreu – ele foi o primeirão a tocar "música mecânica", em 1958, e ela se tornou a primeira mulher discotecária quando começou a fazer bailes, em 1967.

Também participaram da pompa no Auditório Teotônio Vilela, na sede do Legislativo paulista, Antonio Carlos dos Santos, presidente do Sindicato dos DJs e Profissionais de Cabine de Som (Sindecs), William Zimbabwe, presidente da Associação dos Promotores de Eventos do Estado de São Paulo, o vereador e cantor Netinho de Paula (PDT), além de familiares do seu Osvaldo Pereira e meia dúzia de entusiastas da profissão, como esta dupla que vos escreve.

Além de um momento importante para a história dos DJs no Brasil, quem diria que aquela segunda-feira gelada repleta de formalidades também renderia boas risadas?

Tudo acontecia conforme o figurino: equipe filmando, mesa de som e pickups preparados para os pioneiros se apresentarem no final do evento, convidados acomodados. A deputada abriu a cerimônia falando da importância da valorização do DJ e de seu impacto para a cultura. Um discurso formal, cheio de pompa, com colinhas à mão para não dar espaço a erros.

Logo em seguida, quem estava com alguma sonolência no recinto despertou com a gafe:

"... e além disso, temos a honra de homenagear os primeiros DJs do Brasil: seu Osvaldo e Sonia ABRÃO..."

Olhares constrangidos e um zum-zum-zum de fundo.

Já em pé, ao lado de seu Osvaldo, aguardando para receber sua condecoração, Sonia manteve a compostura e sussurrou.

– Abreu...

– Perdão. A Sonia Abreu.

O discurso seguiu o protocolo, mas o desfecho da cena estava mais para TV Pirata do que para TV Senado.

"Finalmente, vamos entregar as placas de homenagem e ouvir as palavras do seu Osvaldo Pereira e da Sonia ABRÃO..."

Sonia engoliu em seco. Pegou o microfone e discursou.

– Quero agradecer a presença de todos. Agradeço aos membros da mesa: Antonio Carlos, do Sindicato, William Zimbabwe e à deputada MA-RI-A do Carmo...

Risos.

– Oi, Sonia. Desculpe. Meu nome é Ana do Carmo.

– Ah, é? Mas tudo bem... Maria do Carmo, Sonia Abrão, dá tudo enredo de novela, deputada. Acontece, né?

Se ainda havia algum clima de formalidade naquele auditório, ele foi pelos ares como fumaça.

– Bem, como eu dizia, quero agradecer a todos e contar que sinto muito orgulho de ser uma DJ mulher, afinal, acaba sendo uma tarefa mais difícil por conta da desconfiança. Quando eu comecei, tudo era muito diferente, mas creio que as mulheres conquistam mais espaço a cada dia.

O que a gente precisa é se unir ainda mais para que o DJ seja respeitado e as mulheres também sejam respeitadas, né? Para que a gente não seja agredida em hipótese alguma. Ainda bem que hoje existe a Lei Maria da Penha, né, Netinho*?

Ela se virou para o deputado com um sorriso cínico e seguiu seu discurso.

– Eu estou muito contente com a homenagem e só tenho a agradecer. De resto, eu fiquei sabendo que vão rolar umas champas e um som do bom comigo e o seu Osvaldo, hein?

Gentil e sábio como poucos, vestindo seu alinhado terno cinza, Osvaldo Pereira, 81 anos na época, o primeiro DJ do Brasil, foi chamado para receber a sua placa e dizer as suas sempre doces palavras sobre a profissão.

– Eu me sinto honrado e lisonjeado pela homenagem, a qual dedico também à Sonia Abreu, primeira DJ que abriu as portas para as mulheres na discotecagem. Não poderia imaginar que aquilo que eu iniciei tomasse tal proporção e que o discotecário pudesse sair de trás das cortinas para ser o principal mestre das festas. E nem era essa a intenção, pois tudo era feito com amor. Hoje estamos aqui reunidos para celebrar o Dia Estadual do DJ – disse seu Osvaldo, emocionado.

A homenagem na Assembleia Legislativa emocionou a Sonia Abreu, mas, como ela gosta de dizer, o tempo é todo o tempo. Com suas antenas sempre ligadas, neste exato momento o que ela quer saber mesmo é: onde vai ser o próximo baile?

FIM

* N. do E.: Em 2005, o cantor e político virou notícia por causa de agressão à ex-mulher.

FAIXA BÔNUS
SONIA POR SONIA

O que você vai ler nas páginas seguintes, caro leitor, é uma espécie de faixa bônus escondida no final de um CD. Trata-se de um compêndio de muitas e muitas horas de entrevista realizadas no apartamento em que Sonia vive atualmente. Pequeno, bem decorado, cheiroso, todo colorido, estrategicamente localizado não muito longe de onde ela cresceu, no Jardim Paulista, na esquina da Alameda Lorena com a Rua Pamplona, o apartamento para onde Sonia se mudou depois de vender o casarão na Rua Antonio Bento é um convite ao alto-astral.

Nas muitas horas de conversa gravadas com Sonia, sempre fomos recebidos com um gostoso lanche natural comprado na galeria do seu prédio, cerveja e, não vamos mentir, com baseados. Afinal, se a ideia era fazer uma varredura por seus mais de 50 anos de carreira, uma expansão da consciência se fazia necessária. Aqui vai então um recorte das dezenas de horas gravadas com Sonia Abreu, direto de sua batcaverna.

Das muitas coisas que você realizou, de quais você se orgulha mais e sente que vai deixar como legado?
Sonia - Papagaio, Excelsior, Ondas Tropicais, a rádio ambulante, a banda e o lance de ser DJ mulher. A única DJ mulher por quase 30 anos. Eu era conhecida na *high society*. Lembram-se de mim fazendo som, a DJ cult. Não tinha outra, mas eu era muito ousada, intuitivamente. Hoje na Casa 92 (casa noturna em Pinheiros, em São Paulo, onde ela é DJ residente) eu estou num laboratório sem ninguém me brifando, estou em contato direto com jovens. Sem ficar tocando essas manjadas.

Você se considera feminista?
Sonia - Não. Nunca, nem soube o que era isso. Eu sempre fui teleguiada. Nem sei como cheguei a isso tudo. Desde os 3 anos eu via a música como um caminho. Vinham os recados na minha cabeça, e eu tive a sorte de conseguir a conexão sem saber, no instinto. Sempre foi natural. Agora, sim, eu penso sobre esse lance de ter sido a primeira mulher DJ. Mas eu sou muito pura. Apesar da minha loucura, eu já fui meio boba, só que eu me jogava sempre. A família não aceitava, mas eu sempre me joguei.

Tem algum projeto que você quis fazer e não concretizou?
Sonia - Não. Agora eu nem quero mais projetos. Eu sempre fui teleguiada e intuitiva. A coisa vinha na cabeça e eu colocava em prática. Eu tive a sorte de ter essa conexão. Nunca me preocupei com o fato de ser mulher ou ser pioneira, aconteceu de um jeito natural. Tinha aquela coisa de dizer que era uma mulher na noite e tal, mas eu sou muito inocente, era meio boba. Tanto que eu precisei da Lucinha pra controlar a loucura e ser meio uma babá minha. De repente, eu vi Nelson Motta e as Frenéticas, um mundo loucão que eu adorei. Pra quem estava acostumada com um mundo careta, foi uma revolução pessoal. Aí eu comecei a fazer minha revolução de um jeito inconsciente e sem grande apoio da família. Mal sabia escrever. Eu estudei no Assunção e no Pio XII, nesses colégios chiques.

Eu caí de boca no meu trabalho. Antes eu vendia os projetos. Hoje não rola. Eu tenho *vibe* e tudo, mas hoje não rola. Nunca tive filhos porque no início o trabalho me ocupava muito. Quem quisesse namorar comigo tinha que se adaptar a isso.

O que significou o rádio em sua vida?
Sonia - Eu cresci no rádio desde os 17 anos. Nos anos 90, quando veio a internet, na Rádio Mixbrasil, com André Fischer, eu senti uma grandiosidade nova. Ser ouvida em Singapura, Japão, Austrália. Tinha uma técnica de som que me falava o que a galera de outros países estava achando. Eu pensei: "Caralho, bicho". Coisa grande. Quando eu comecei a falar [como locutora] foi ótimo. Na Excelsior eu produzia, e o Antonio Celso apresentava. Ele não me dava oportunidade de falar. Ele achava que eu tinha a língua presa. Ele não acreditava que eu pudesse falar. Na rádio USP eu falei pela primeira vez, nos anos 80. E em todas as rádios eu era conhecida, apesar de não falar. Fazia os festivais, os programas, e fiz nome com os LPs da Excelsior. Realizei muita coisa trabalhando em rádio. Eu coloquei os árabes pra tocar, Khaled e afins. O Theo Werneck pode confirmar que eu comecei esse movimento. Depois encheu o saco tocar coisas muito diferentes. Hoje os cults são caretas e não querem muito coisas diferentes. Aí parei um pouco. Sofri um pouco, mas criei um estilo de mistura que deu certo.

A opinião dos outros DJs importa pra você? Como você se prepara no dia em que vai tocar?
Sonia - Eu tenho um puta medo. No dia de tocar dá até caganeira, tremo, bato os dedos. Meu assistente, Ezê, até diz: "Para de dizer que tá insegura, caralho! Você toca há tanto tempo". Se eu sei que um cara como o Marky vai me ver, eu tremo. Pra falar a verdade, pra mim DJ não pode ter essas travas. Na minha casa eu vou ouvir o que eu quiser, eu preciso ter abertura pra ouvir tudo, até Luan Santana. Quando eu tô tocando,

vou me acalmando conforme vou dominando a pista. Eu me organizo assim: a minha seleção de pista tem uma história. É uma conversa entre as músicas. Eu monto o que eu quero falar com as pessoas por meio da minha seleção.

Pergunta difícil: o que é ser DJ pra você?
Sonia - Um transe coletivo. É tudo isso que eu faço: escolher boas músicas, dançar, estar disponível, ter o dom. Ser DJ é ter curiosidade sobre música desde a época que índio tocava apito, entender a pulsação, ter a música dentro de você e ficar totalmente tomado como eu fiquei aos 3 anos de idade.

Qual a influência das drogas em sua vida?
Sonia - Enorme. Eu era uma pessoa até 1976, mas depois de fumar maconha me tornei outra coisa física e musicalmente falando. Eu ouvia "Shine On You Crazy Diamonds" do Pink Floyd e *otras cositas más* naipe David Bowie. Nossa, que som. Nunca tinha ouvido. A maconha dilata a nossa percepção. A música tomou uma dimensão que eu ainda não tinha percebido. Quando meu pai ouvia Bach, Chopin, Nelson Gonçalves, eu, muito nova, tinha uma relação com a música. Tinha sinais. Mas depois da maconha e do disco voador foi muito mais louco. Eu estava bem protegida com a Lucinha.

Nunca tive overdose. Já passei mal com bebida. Com maconha e a percepção dilatada eu fico mais focada. Meu próprio médico me recomendou não tomar remédio de artrose e continuar com a maconha. Eu parei um ano e começou a doer tudo. Fiz exames e o médico disse que os remédios eram muito fortes e não resolveriam. Iriam complicar o estômago. Ele disse pra voltar e eu voltei. Olha, qualquer droga é péssima, mas usando no limite é bom. Eu tomei 232 LSDs. Eu contei. Usei muita mescalina também. Nessa primeira experiência, em Embu, eu ouvia o mato, os ruídos da natureza, os vermes se mexendo. Eu ficava na mesma vibração da natureza. Eu acho que a gente só entra em *bad trip* se estiver a fim. Se você quiser ver e evoluir, você vai. Se quiser descer, cai mesmo.

Como aconteceu essa identificação tão forte com a Lucinha?
Sonia - Pois é, a Lucinha é uma pessoa maravilhosa que me ajudou muito. Dei um grito no escuro e virei parceiro do futuro com a Lucinha, que nem diria Tom Zé na música "2001" (de 1968). Por ela eu larguei a Globo. Mas havia um jogo de interesse. A vida é um jogo de interesse. Ela focava no Arnaldo lá na frente. Eu era uma peça do jogo. Tudo em que ela focou, conseguiu. No final das contas, eu tenho muita gratidão pela Lucinha, ela mudou um bom pedaço da minha cabeça, graças a Deus.

Como é a sua espiritualidade? Você é espírita?
Sonia - Há 20 anos estudo e trabalho num centro espírita. Eu fui atrás porque amo a Índia, Krishna, budismo, candomblé e os lances ligados à espiritualidade. Acredito em todas e já frequentei algumas. Eu me sinto bem em qualquer lugar em que haja conexão com Deus, mas o espiritismo me chamou mais atenção.

Como é a sua relação com a tecnologia?
Sonia - Eu me dou bem. Demorei dois anos para observar ondas musicais no computador, pra conseguir "ver" a música. Hoje eu posso fazer mixagem sem fone. Música é matemática, e em milésimos de segundo o DJ pode sambar. Mas já chorei lágrimas de sangue.

Você fez muitos amigos DJs?
Sonia - Eu era amiga do Chico do Cave, do Olavo Cabeção e dos DJs de todas as casas. Mas nunca soube de verdade se eles gostavam de mim. Eu sou mais humilde e ia vê-los tocar. Eles nunca foram me ver. Eu era "patricinha da zona sul", e os caras eram na maioria das vezes de origem mais modesta. Acho que eles tinham medo que eu puxasse o tapete deles.

De onde veio a inspiração do nome para a rádio ambulante Ondas Tropicais?
Sonia - Do disco voador. Parecia um drone. Pequeno, discreto, luzes piscantes cinza e azul. Eu vi outros depois. Diferentes. Esse soprou o que eu devia fazer. O disco voador me deu a luz. Nessa época eu me sentia humilhada, infeliz. Pra quem já tinha feito tanta coisa, o que eu ia fazer agora. Essa inspiração do disco voador me fez tocar por seis anos no Festival de Inverno de Campos do Jordão, patrocinado pela Secretaria de Cultura de São Paulo.

Qual é o seu pensamento sobre envelhecer?
Sonia - É uma realidade. E acho que você tem que encarar. Querendo ou não, você vai passar por isso. O que sobra pra velhice, e as pessoas deveriam se interessar muito no aqui e agora, é aquilo que você faz hoje. Suas ações, suas palavras, suas atitudes, seus pensamentos. Você não pode lutar contra essa matemática. É igual mixagem. Se você pensar que 4 é 3,99, se fodeu. Não tem meia-verdade. A velhice é interessante porque você tem um filme da sua história. Ela é mais interessante ainda para a mulher do que para o homem, porque a mulher tem duas fases. Tem a mulher hormonal e a pós-hormonal. No pós-hormonal você tem essa liberdade de pensar, de escolher. Você tem autodiscernimento. A velhice proporciona isso; acabam os hormônios e sobram outras coisas na vida. E aí eu quero morrer não porque é uma coisa triste. Eu quero morrer porque eu quero continuar minha vida. Aqui neste mundo babaca, em que você não pode tocar porque é velha, eu prefiro ir para outros planetas e continuar minha vida. Eu sou espírito. Eu sou o princípio. O fim. E o meio.

Se você pudesse dar um conselho para alguém que queira iniciar na carreira de DJ, qual seria?
Sonia - Pesquise música, estude todo dia para crescer e não seja radical, tribalista, não veja só a sua tribo. Seja diversificado para aprender, para ousar, para cada dia ser um desafio. É importante a pessoa sair da zona de conforto porque é assim que se cresce.

PLAYLIST

AS 100 MELHORES DA SONIA

Uma vida inteira dedicada à música você escuta agora neste playlist

1. Chopin / Polonaise en La Bémol
2. Core 'Ngrato / Catari Catari
3. Banda do Quarto Mundo / Bolero
4. Nelson Gonçalves / Boemia
5. Ataulfo Alves / Amelia
6. Ryuichi Sakamoto / The Sheltering Sky
7. Beatles / Golden Slumbers
8. Johnny Mathis / My Love for You
9. Nat King Cole / Ansiedad
10. The Square Set / That's What I Want
11. Joe Jeffrey / My Pledge of Love
12. Bobby Hebb / Sunny
13. Marvin Gaye / I Want You (Remix)
14. Chuck Berry / You Never Can Tell
15. Little Richard / Long Tall Sally
16. Arnaldo Baptista / Será Que Vou Virar Bolor?
17. Mutantes / Meu Refrigerador Não Funciona
18. Gilberto Gil / Chuck Berry Fields Forever
19. Bob Marley / Get Up Stand Up
20. Rolling Stones / Sympathy for the Devil
21. Harold Melvin / Wake Up Everybody
22. Wim Mertens / Iris
23. Brian Eno & John Cale / Spinning Away
24. Led Zeppelin / Since I've Been Loving You
25. Jimi Hendrix / All Along the Watchtower
26. Laurie Anderson / Baby Doll
27. Pink Floyd / Shine On You Crazy Diamond
28. Supertramp / The Logical Song
29. Caetano Veloso / Falou Amizade
30. The Trashmen / Surfin' Bird
31. Manu Dibango / Reggae Makossa

32. John Lennon / Woman Is the Nigger of the World
33. The Mamas & The Papas / California Dreaming
34. James Brown / Stoned to the Bone
35. Baby Consuelo / Um Auê Com Você
36. Van Der Graaf Generator / Wondering
37. Bauhaus / Bela Lugosi's Dead
38. King Crimson / In the Court of the Crimson King
39. Ray Charles / Stella by Starlight
40. Isaac Hayes / Shaft
41. Neil Young / Harvest Moon
42. High Contrast / Remind Me
43. Marco Antonio Araújo / Influências
44. Afrika Bambaataa & John Lydon / World Destruction
45. Israel Vibration / Perfect Love and Understanding
46. Tim Maia / A Festa do Santo Reis
47. The Moody Blues / Nights in White Satin
48. Sérgio Sampaio / Eu Quero É Botar Meu Bloco na Rua
49. Bob Dylan / Hurricane
50. Papa Wemba / Yolele
51. Alpha Blondy / Sebe Allah Y'e
52. Ofra Haza / Ayelet Chen
53. Trio Mocotó / Os Orixás
54. Tony Bizarro / Estou Livre
55. Guilherme Lamounier / Estrela de Rock and Roll
56. DJ Marky / It's a Long Way
57. John Holt / For the Love of You
58. Salif Keïta / Tekere
59. Serge Gainsbourg / Marilou a Dance Reggae
60. Alceu Valença / Belle de Jour
61. Belchior / Coração Selvagem
62. Jorge Ben Jor / Assim Falou Santo Thomaz de Aquino

63. John Lennon & Yoko Ono / Double Fantasy
64. Kassav / Sé Pa Djen Djen
65. Eric Virgal / Pa Fe Mwen La Pen
66. Nina Hagen / African Reggae
67. Miles Davis / Blue in Green
68. Carmen McRae & Dave Brubeck / Take Five
69. Mashup (Bethânia e Bob Marley) do DJ Otávio Rodrigues / Eu Não Vou Ir
70. DJ Marky / Carol Bela
71. Sérgio Mendes / Mas Que Nada
72. Chico Buarque / Fado Tropical
73. David Bowie / Lady Grinning Soul
74. Ed Lincoln / Eu Não Vou Mais
75. Fausto Fawcett / Kátia Flávia
76. Michael Jackson / Wanna Be Starting
77. Jack White / Would You Fight for My Love?
78. Natacha Atlas / Batkalim
79. Rachid Taha / Rock el Casbah
80. Khaled / El Arbi
81. Jerry Lee Lewis / Hello Josephine
82. Ramsey Lewis / Day Tripper
83. Imelda May / Tainted Love
84. Frank Zappa / Watermelon in Easter Hay
85. Sigma / Nobody to Love
86. The Killers / Mr. Brightside
87. Hyldon / Na Rua, na Chuva, na Fazenda
88. David Byrne & Celia Cruz / Loco de Amor
89. Ky-Mani Marley / New Heights (D&B Bootleg)
90. Gang 90 / Telefone
91. Dissidenten / Fata Morgana
92. Sizzla / I'm Living (Ed Solo & Stickybuds Remix)
93. King Sunny Ade / Aura

94. Les Rita Mitsouko / C'est Comme Ça
95. Vasco Rossi / Bollicine
96. Mory Kante / Yeke Yeke (Remix)
97. Grace Jones / Libertango
98. Jorge Mautner / Quero Ser Locomotiva
99. Fela Kuti / Sorrow, Tears & Blood (Original Extended Version)
100. The Cure / Lovesong (Extended Mix)

Sonia se apresenta na Parada LGBT de São Paulo, em junho de 2017

Com o cantor Agnaldo Rayol numa festa

No coreto da Rua Augusta, o poeta Roberto Bicelli, Geraldo Anhaia Mello, Arnaldo Baptista e Vera Barbosa, irmã de Lucinha

Na 89 FM, onde Sonia deu trabalho pro porteiro

Com o campeão mundial do DMC Erick Jay

Sentada na grade do Trio Elétrico em Campos do Jordão

Se preparando para tocar na festa da Ornare

Com Raul Schulzbacher, proprietário da loja Jeans Store e do coreto da Rua Augusta

Com Marcelo Tas na sua festa de casamento

Com o DJ Mauro Borges, no lançamento do livro *Todo DJ já sambou*, em 2003

Com o estilista Dudu Bertholini

Multidão se aglomera no Parque Ibirapuera (SP) para ouvir o som da rádio Ondas Tropicais em meados dos anos 1980

Com o amigo de longa data Arnaldo Baptista na exposição de quadros do músico no Sesc Vila Mariana

Com o maestro Diogo Pacheco, que participava da programação da rádio Ondas Tropicais ao ar livre, dando dicas de música clássica

Ousada sempre: de barriga de fora numa reunião de família

Passeio de barco com duração de 20 dias

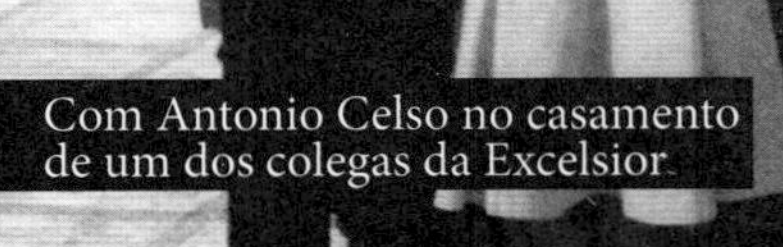

Com Antonio Celso no casamento de um dos colegas da Excelsior

Sonia, a mãe Aduzinda e a avó Domingas

Muito antes da internet, Sonia já mandava nudes

Com o ex-marido Jorge Brother na Praça do Pôr do Sol em meados dos anos 1990

Com os integrantes da banda inglesa Steel Pulse em São Paulo

Dando entrevista ao *Fantástico* na Praça da Paz no Parque Ibirapuera

In love com Chiquinho, o marido, em 1975

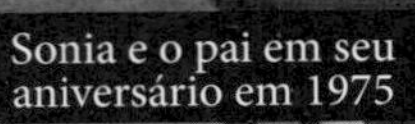

Sonia e o pai em seu aniversário em 1975

Na Praça do Pôr do Sol

A belíssima Aduzinda em foto de formatura do colégio

Com Paulo Maluhy (de branco), Arnaldo e Jorge Brother

Sonia com as amigas em Veneza em sua primeira viagem internacional, com a excursão chiquetésima da Dona Tança

Com o ex-marido Jorge Brother

De vampira em 1973

Fase reggae total

Show no teatro Tuca marcou a volta de Arnaldo Baptista aos palcos, em 17 de maio de 1983

Com Gilberto Gil

Com o DJ Flavio Ferrari, do Hippopotamu's, na Rádio Excelsior

Com a pequena Renata, irmã por parte de pai

Com o artista plástico Guto Lacaz

Look diva no show de abertura do Yellowman no Projeto SP

Com Fernando Sommer, sócio da Casa 92

A música sempre fez parte da vida de Sonia, desde os primeiros anos de vida

Sonia com a mãe: parceria que se estendeu até o fim da vida de dona Aduzinda

Com Arnaldo Baptista no estúdio da rádio Brasil 2000 FM

Ex-Mutante Arnaldo Bapt volta à ativa no Sesc Pomp

O ex-Mutante Arnaldo Baptista está de volta ao palco. Ele é a atração do projeto Via Paulista de hoje, dividindo com Sônia Abreu e a Banda do Quarto Mundo o palco do Sesc Pompéia, a partir das 21h. É a primeira apresentação de Arnaldo em show próprio desde o acidente de 1980, quando, internado numa clínica, tentou o suicídio, jogando-se do terceiro andar.

Desde então Arnaldo vem fazendo aparições esporádicas em shows de outros artistas. Há duas semanas subiu ao palco do Aeroanta para cantar junto com a Banda do Quarto Mundo a música Raio de Sol, de sua autoria. Depois, foi convidado por Roberto Frejat a cantar Satisfaction, dos Rolling Stones, no último show do Barão Vermelho em São Paulo.

A boa forma exibida fez com que sua velha amiga Sônia Abreu se animasse a propor a parceria para o Via Paulista. Arnaldo vive hoje num sítio na região de Juiz de Fora

— para o show. Tocar com esses equipamentos raros foi a

Sônia Abreu e Arnaldo Baptista dividem o palco ho

contrar mas têm maior equilíbrio de graves, médios e agudos. E o som dos amplificadores valvulados é bem melhor", justifica.

A vida de Arnaldo Batista foi

livro Balada do Lou-

Mário Pacheco, e do

aldito Popular Brasilei-

Patrícia Moran. Seu no-

revigorado com o lan-

em CDs de cinco dis-

Mutantes, em março, e

, da sua carreira-solo.

o O A e o Z, gravado em 1973, deve ser lançado em julho.

te Sepultura) foi re

Sanguinho Novo, c

das principais obra

do, na carreira-sol

líder da banda dos

70 que tinha ainda

o guitarrista Sérgio

tista, e Rita Lee.

O show de hoje

pela world music

Abreu e da Banda

Mundo, à base de r

Em seguida Arnal

tocando contraba

três músicas acomp

lo grupo. Depois

três números sozir

Recorte do jornal *Folha da Tarde* mostra Sonia e Arnaldo Baptista dividindo palco em show no Sesc Pompeia

CARLITO MAIA

SOLITÁRIOS DE TODO
O MUNDO, UNI-VOS

A GRANDE DAMA DO RÁDIO
É A SONIA ABREU, A QUE
BATE O ESCANTEIO E CORRE
PRA FAZER O GOL DE CABEÇA.
– TU É GRANDE, MULHER!
BEIJARES E ABRAÇARES DO

Carlito.
20.9.87

PARTO À PROCURA DO
IMPOSSÍVEL. VAMOS VER
SE O ENCONTRO.

(ANTONIN ARTAUD)

**Uma vida
não é nada,
com coragem
pode ser muito.**

Bilhete de Carlito Maia, publicitário que atuou na Rede Globo.

MATRIX